Sylvie

NERVAL

Sylvie

•

PRÉSENTATION
DOSSIER
BIBLIOGRAPHIE
par Sylvain Ledda

NOTES
CHRONOLOGIE
par Jacques Bony et Sylvain Ledda

GF Flammarion

Sylvain Ledda, professeur de littérature française à l'université de Nantes, est spécialiste du romantisme. Il a consacré de nombreux travaux à cette période, en particulier à Alfred de Musset et au théâtre de la première moitié du XIXe siècle. Il a édité dans la collection GF-Flammarion les *Contes* et les *Nouvelles* de Musset (2010), et prépare actuellement pour Garnier une édition du *Théâtre complet* de Gérard de Nerval.

ISBN : 978-2-0812-8963-5

Présentation

> Passons passons puisque tout passe
> Je me retournerai souvent
>
> Les souvenirs sont cors de chasse
> Dont meurt le bruit parmi le vent
>
> Apollinaire, « Cors de chasse [1] »

Le charme qu'opère *Sylvie* sur le lecteur provient de la trame poétique que tisse Nerval entre les souvenirs et le temps qui les traverse. Une étoffe littéraire aérienne, aussi transparente que les brumes qui flottent sur les « Souvenirs du Valois », sous-titre de la nouvelle. « C'est tout entre les mots [2] », écrit Proust. Le réseau d'analogies fluides qui lie les rêveries à la réalité des décors connus poétise en effet la puissance évocatoire de la parole nervalienne. Et si le récit touche par sa simplicité, s'il « semble couler de source », il n'a cependant rien de léger ni de « naïf » [3] – de cette naïveté dont on a parfois taxé le « doux Gérard », quand on ne réduisait pas ses derniers chefs-

1. *Alcools*, *Œuvres poétiques complètes*, éd. Michel Decaudin, Gallimard, « Bibliothèque de la Pléiade », 1956, p. 148.
2. Marcel Proust, *Contre Sainte-Beuve*, préface de Marcel de Fallois, Gallimard, « Folio essais », 1954, p. 157.
3. Gérard Macé, *Je suis l'autre*, Gallimard, « Le Promeneur », 2007, p. 66.

d'œuvre à l'expression de sa folie. *Sylvie*, intuition rétrospective de ce qui a peut-être existé, expérience humaine et esthétique inouïe, témoigne au contraire d'une grande maîtrise de la composition [1] – au point que Proust voyait en cette œuvre un sommet de la littérature française, un « modèle de hantise maladive », le « rêve d'un rêve » et, plus encore, « un plaisir de rêve [2] ».

Nul autre avant Nerval n'avait en effet atteint plus parfait équilibre entre l'opacité de la mémoire et la transparence des mots, harmonie qui aboutit au mariage de la prose et de la poésie caractérisant la nouvelle ; nul autre n'est parvenu à rendre à ce point tangibles les courbures du temps dans l'espace, grâce auxquelles Nerval donne une forme littéraire achevée à la part la plus insondable de l'homme : le mystère des rêves, la magie de la mémoire.

« SCÈNES DE LA VIE [3] »

Avant d'être intégrée aux *Filles du Feu* en 1854, la nouvelle paraît le 15 août 1853 dans la *Revue des Deux Mondes*. Nerval, âgé de quarante-cinq ans, vit alors les dernières années de son existence ; il multiplie les publications dans l'urgence, animé par la nécessité d'écrire « pendant qu'il fait encore jour ». Atteint de crises

1. Michel Jeanneret analyse en ces termes la démarche créatrice de Nerval : « L'histoire que raconte *Sylvie* s'articule sur une expérience et des signes qui sont ceux de la folie. Mais cette histoire, dès le moment où elle est prise en charge par le discours littéraire, s'ordonne en un langage et une architecture qui postulent l'équilibre et l'harmonie » (*La Lettre perdue. Écriture et folie dans l'œuvre de Nerval*, Flammarion, 1978, p. 91).
2. *Contre Sainte-Beuve*, éd. citée, p. 159.
3. Nerval envisagea ce titre pour *Sylvie* (voir Dossier, p. 106).

mentales qui l'obligent à séjourner dans une maison de santé à Passy, il se hâte de composer des volumes de prose – il souhaite donner forme et sens à son œuvre. *Sylvie* appartient à ce miraculeux crépuscule de Nerval, période qui vit naître plusieurs de ses chefs-d'œuvre. Avant *Promenades et souvenirs* et *Aurélia*, cette nouvelle mêle invention et souvenirs personnels, obéissant aux nécessités intérieures de l'artiste menacé par la folie [1]. « Inventer au fond c'est se ressouvenir », comme le précise l'auteur en tête du recueil des *Filles du Feu* [2]. L'architecture interne de *Sylvie* semble illustrer cet axiome, en suivant un mouvement binaire : un premier pan du récit plonge le lecteur dans les souvenirs d'enfance du personnage-narrateur, guidé par la rêverie. L'autre offre le triste retour sur ces lieux de mémoire. La fable ondoie ainsi entre un passé incertain et un présent irrésolu, le chapitre VII opérant entre ces deux moments du récit une transition teintée d'étrangeté.

La donnée liminaire de *Sylvie* est *a priori* assez simple. Au sortir d'un théâtre, un jeune Parisien retrouve, grâce à un journal, des souvenirs enfouis, et décide d'aller à leur rencontre. Au même moment, il apprend qu'il devient riche. Mais loin de suivre la voie matérialiste, il choisit la « route de Flandres » et les images d'antan. Les six premiers chapitres voient ainsi défiler d'anciennes scènes, telle celle des « deux files d'arbres monotones qui grimacent des formes vagues [3] ». D'abord lui apparaît Adrienne, dont la vision semble un « souvenir à demi rêvé [4] ». C'est l'image la plus lointaine de l'existence du

1. Sur la genèse de *Sylvie*, voir Dossier, p. 101 *sq*.
2. « À Alexandre Dumas », *Les Filles du Feu. Les Chimères*, éd. Jacques Bony, GF-Flammarion, 1994, p. 73.
3. « Résolution », p. 23.
4. « Résolution », p. 21.

Portrait de Gérard de Nerval par Nadar

narrateur [1], à laquelle succède celle de Sylvie, qui occupe les chapitres IV, V et VI. L'élan initial et le voyage au pays des souvenirs sont reliés par un présent de commentaire, qui trahit la volonté du narrateur de donner forme à ses réminiscences : « reprenons pied sur le réel », se dit-il après avoir évoqué le couronnement d'Adrienne ; « recomposons les souvenirs », s'encourage-t-il [2]. Puis, au chapitre IV, cette attache avec le présent se délie, et les pages consacrées à l'enfance de Sylvie forment un récit autonome, sans que la parole du narrateur en vienne briser le cristal. Les six premiers chapitres, en suivant la route de Paris à Loisy, font ainsi apparaître les trois figures féminines de la nouvelle, dont deux appartiennent au passé, Adrienne l'aristocrate et Sylvie la petite paysanne, qu'il espère revoir en se rendant à Loisy. Quant à la troisième, Aurélie l'actrice, elle hante le présent dès le premier chapitre, mais se teinte d'irréalité dès lors que le narrateur perçoit l'origine de sa fascination pour elle : « Cet amour vague et sans espoir, conçu pour une femme de théâtre, qui tous les soirs me prenait à l'heure du spectacle, pour ne me quitter qu'à l'heure du sommeil, avait son germe dans le souvenir d'Adrienne [3] ».

Au terme de cette plongée dans l'enfance, le chapitre VII, « Châalis », marque une pause, un suspens féerique. Adrienne revient et, avec elle, mystères du Moyen Âge et allégories religieuses de Saint-Cyr s'invitent dans l'univers fantasmagorique de ce chapitre teinté d'onirisme. Nerval introduit ici un nouvel ordre temporel, dont la réalité elle-même est mise en doute : « En me retraçant ces détails, j'en suis à me demander s'ils sont

1. Si l'on considérait *Sylvie* comme un récit autobiographique, on pourrait situer cette scène vers 1815, Nerval étant né en 1808.
2. « Résolution », p. 21 et 24.
3. « Résolution », p. 21.

réels, ou bien si je les ai rêvés [1] », confie le narrateur. Cet aveu jette soudainement le trouble sur toutes souvenances, et la figure d'Adrienne, comme l'analyse Jean-Nicolas Illouz, s'interpose entre les souvenirs virtuels et le réel qui s'annonce :

> d'un versant à l'autre du chapitre VII, la figure d'Adrienne est passée de l'autre côté du miroir, et s'il n'est plus aussi simple de la congédier du côté du rêve et de l'imaginaire, c'est qu'elle appartient désormais au réel lui-même, qui va maintenant révéler au promeneur, égaré sur les lieux mêmes de ses souvenirs, son inquiétante étrangeté [2].

Pivot onirique et symbolique du récit, le chapitre VII referme le livre heureux des souvenirs d'enfance. Le présent entre de plain-pied dans la nouvelle, dès les premiers mots du chapitre VIII : « Je suis entré au bal de Loisy [3] » ; le voyage nocturne s'est achevé, et avec lui les réminiscences s'estompent à la lueur de l'aube.

Du chapitre VIII au chapitre XIII (« Aurélie »), le voyage s'apparente à un pèlerinage déceptif. Parvenu sur les lieux qu'il a voulu rejoindre, le narrateur marche de désillusion en désenchantement, découvrant derrière chaque porte le cadavre du bonheur, et derrière chaque visage une voix chère qui s'est tue. Un sentiment de perte incommensurable envahit pensées et décors, couvrant de bistre le tableau idyllique que le narrateur espérait retrouver ; tout s'est figé, y compris quand il tente un retour en Valois avec la troupe d'Aurélie [4].

1. « Châalis », p. 48.
2. *Nerval, le « rêveur en prose ». Imaginaire et écriture*, PUF, « Écrivains », 1997, p. 82.
3. « Le bal de Loisy », p. 52.
4. Guy Barthèlemy note à juste titre que la perte, dans *Sylvie*, s'accompagne de « la paralysie de l'action », et aussi d'un « trouble de l'identité nervalienne » (« Rhétorique de la perte », *Les Couleurs du XIXe siècle*, *Romantisme*, n° 157, 2012, p. 90-91).

Le chapitre XIV rassemble tous ces souvenirs et dresse le bilan. C'est un ultime regard posé sur le passé : « il ne faut pas regarder le dernier chapitre autrement que comme une postface, dernier coup d'œil sur un drame accompli », note Georges Poulet [1]. Certes, le narrateur revient encore vers son cher Valois, mais tout lui signale une irrémédiable métamorphose : « Tout cela est bien changé [2] ! » constate-t-il. Le temps a passé, le « petit Parisien » est devenu un homme mûr. Or le dénouement offre, avec la lucidité, une nouvelle blessure : le récit est tragiquement ramené en arrière, « vers 1832 », date de la mort d'Adrienne. Le passé s'épanche à nouveau dans le présent et se résout dans la mort. En refermant le livre, le lecteur comprend que l'histoire de *Sylvie* s'est déroulée dans l'ombre portée d'une absente, entrevue au cours de deux cérémonies nocturnes (chapitres II et VII). Telles sont les *Scènes de la vie* ; tel est *L'Amour qui passe* – pour reprendre les deux premiers titres envisagés par Nerval pour sa nouvelle [3].

LES CERCLES DU TEMPS

La logique temporelle de *Sylvie* n'obéit pas à une chronologie objective, mais à une savante combinaison d'époques qui entre elle-même en résonance avec les espaces traversés. À l'image des cercles de Dante qu'évoque Nerval dans *Promenades et souvenirs* [4], le

1. *Trois Essais de mythologie romantique*, José Corti, 1971, p. 80-81.
2. « Dernier feuillet », p. 77.
3. Voir Dossier, p. 105 *sq*.
4. « Il y a dans ces sortes de villes quelque chose de pareil à ces cercles du purgatoire de Dante immobilisés dans un seul souvenir, et où se refont dans un cercle plus étroit les actes de la vie passée » (*Promenades et souvenirs*, dans *Aurélia, et autres textes autobiographiques*, éd. Jacques Bony, GF-Flammarion, 1990, p. 238).

temps s'étire et s'étrécit, suivant l'architecture complexe de la ligne narrative et le dessin des paysages. Nerval opère ici une tension qu'a bien repérée et analysée Jacques Bony : « une expansion démesurée du temps associée à la concentration de l'espace [1] ». Le mouvement d'ensemble de la nouvelle orchestre plusieurs niveaux de temporalité, comparables à des manuscrits palimpsestes : Nerval récrit le passé sur un tissu plus ancien, et cette juxtaposition se lit dans les signes qui marquent la mesure du temps – les décors signalent ainsi la possibilité d'un passé antérieur. Pour Nerval, le temps vécu ressemble à un feuilletage, moments amoncelés qui finissent par se fondre en un même creuset, le Valois, lequel fait aussi bien apparaître l'époux défunt de la tante de Sylvie que les Médicis du XVIe siècle.

L'imaginaire nervalien met en place au moins quatre niveaux de temporalité. Si l'on accepte de se situer du point de vue de Nerval, et de partir du moment de l'écriture, le temps se déploie en une vaste rétrospection, qui irait du moment de la composition du récit à un temps mémoriel. Suivant une telle perspective, le « Dernier feuillet » correspond au moment de l'écriture (1852-1853). Vient ensuite celui du récit cadre ancré dans les années 1830, cette « époque étrange » de la jeunesse de Nerval [2] : c'est à cette période-là que le narrateur regagne Loisy et la fête de l'Arc ; une fois retrouvés les heures et les visages d'antan, il se désole. Le troisième cercle temporel élargit la fiction jusqu'à l'enfance, qui inclut deux ensembles de souvenirs : ceux d'Adrienne, ceux de Sylvie [3].

---

1. Jacques Bony, *Le Récit nervalien*, José Corti, 1990, p. 168.
2. Ce niveau de représentation du temps correspond aux chapitres I, III, VIII, IX, X, XI, XII, XIII.
3. Chapitres II, IV, V, VI.

Ces trois cercles temporels correspondent à trois âges de la vie qui ne sont jamais hermétiquement clos et que la fable présente dans une savante confusion. Ces « scènes de la vie » sont identifiables grâce à de discrets indices, notamment spatiaux, que fournit le texte et que l'exégèse nervalienne a pu déchiffrer [1]. Le temps vécu dans *Sylvie* serait donc celui de l'expérience tangible, qui se mesure à l'aune d'une existence humaine. Des éléments d'ordre anthropologique et ethnographique confirment cette tripartition du temps humain, à travers des situations, qu'on peut assimiler aux grandes étapes de la vie et qui apparaissent sous la forme de cérémonies ou de rituels : la découverte du désir, très subtilement décrite au chapitre VI ; l'aspiration à la réalisation de ce désir, matérialisée par la tentative amoureuse auprès d'Aurélie au chapitre XIII ; enfin, l'expérience du deuil qui frappe le narrateur aux chapitres IX et XIV – la roue de l'existence tourne incessamment.

De ces trois moments, seule l'enfance constitue un temps heureux, associé d'ailleurs à des images du Valois idéelles, voire édéniques. Et cependant, là encore, nulle ligne de démarcation bien nette entre les visions lointaines et celles du passé plus proche. L'adulte n'a de cesse de retrouver l'enfant : « Tout semblait dans le même état qu'autrefois [2] », constate le narrateur au chapitre IX. Les époques de la vie communiquent entre elles grâce à des signes, si douloureux soient-ils : la maison de l'oncle, le chien (vivant puis empaillé), le petit jardin d'enfant dont il ne reste que la forme délinéée. Parmi ces repères, les chansons, qui passent d'une génération à l'autre, d'une

---

1. Voir en particulier : Jacques Bony, *Le Récit nervalien*, *op. cit.* ; Jean-Nicolas Illouz, *Nerval, le « rêveur en prose ». Imaginaire et écriture*, *op. cit.*
2. « Ermenonville », p. 54.

bouche à l'autre, sont garantes de la continuité des âges. Si le narrateur adulte les recherche, c'est qu'elles matérialisent une durée qui dépasse le temps d'une vie. C'est alors un temps à la fois cyclique et démesuré que mettrait en place le récit. Le subjectivisme de Nerval appliqué au traitement du temps rend poreuses les strates de la mémoire, chaque instant vécu qui remonte à la surface étant lui-même infiltré par d'autres moments, plus lointains, plus impalpables : Sylvie est une petite ouvrière, mais elle est aussi « la fée des légendes éternellement jeune[1] ». Le temps prosaïque n'exclut jamais celui du mythe. C'est pourquoi le traitement du temps est ici essentiellement poétique : les dimensions du récit excèdent celles d'une vie humaine.

MAGIE DE LA MÉMOIRE

Le temps de *Sylvie* ne se limite pas au vécu que recompose le narrateur : le savant désordre de la mémoire personnelle, nourrie d'une vaste culture, invite d'autres époques dans la combinaison des souvenirs. La temporalité de *Sylvie* repose en effet sur une conviction profonde et intime de Nerval : la croyance en la métempsycose et en la transmutation des âmes[2]. Aurélie et Adrienne,

1. « Othys », p. 40.
2. Cette théorie est exposée par Nerval dans « Cagliostro » (*Les Illuminés*) : « Restif de la Bretonne a publié aussi, comme nous l'avons vu, un système de panthéisme qui supprimait l'immortalité de l'âme, mais qui la remplaçait par une sorte de métempsycose. – Le père devait renaître dans sa race au bout d'un certain nombre d'années. La morale de l'auteur était fondée sur la *réversibilité*, c'est-à-dire sur une fatalité qui amenait forcément dans cette vie même la récompense des vertus ou la punition des fautes. Il y a dans ce système quelque chose de la doctrine primitive des Hébreux » (*Œuvres complètes*, t. II, éd. Claude Pichois et Jean Guillaume, Gallimard, « Bibliothèque de la Pléiade », 1984, p. 1133-1134).

ainsi, ne sont peut-être qu'une seule et même entité : « Aimer une religieuse sous la forme d'une actrice !... et si c'était la même [1] ! » Grâce aux réminiscences, un même personnage peut en évoquer un autre [2]. *Sylvie* illustre cette conception syncrétique des vies antérieures, selon laquelle personnages, objets et décors portent en eux une mémoire plus ancienne qui éclaire le présent.

Pour matérialiser le dialogue entre les époques, Nerval use à deux reprises d'un mot trivial et amusant, celui de « bric-à-brac [3] ». Le terme signale l'accumulation d'objets, c'est-à-dire d'autant de signes qui font entrer en collision des moments historiques différents. Le temps nervalien est hétéroclite et surprenant, à l'image de l'horloge (chapitre III) ou du cabinet de curiosités de l'oncle, à Montagny (chapitre IX). Intégrée au décor disparate de la chambre, la pendule offre une méditation sur la symbiose des époques. Véritable machine à remonter le temps qui ne servirait pas à sonner l'heure, mais à ordonnancer une légende des siècles, elle vaut pour ce qu'elle représente, non pour son utilité :

> Au milieu de toutes les splendeurs de bric-à-brac qu'il était d'usage de réunir à cette époque pour restaurer dans sa couleur locale un appartement d'autrefois, brillait d'un éclat rafraîchi une de ces pendules d'écaille de la Renaissance, dont le dôme doré surmonté de la figure du Temps est supporté par des cariatides du style Médicis, reposant à leur tour sur des chevaux à demi cabrés. La Diane historique, accoudée sur son cerf, est en bas relief sous le cadran, où

1. « Résolution », p. 21.
2. Cette croyance est justifiée par le commentaire du récit de Brisacier que Nerval inclut à la dédicace qui sert de préface aux *Filles du Feu*. Voir l'analyse suggestive qu'en propose Corinne Bayle dans *Gérard de Nerval : la marche à l'étoile*, Seyssel, Champ Vallon, 2001, p. 100.
3. Le mot apparaît dans « Résolution » (p. 22) et « Dernier feuillet » (p. 78).

s'étalent sur un fond niellé les chiffres émaillés des heures. Le mouvement, excellent sans doute, n'avait pas été remonté depuis deux siècles. – Ce n'était pas pour savoir l'heure que j'avais acheté cette pendule en Touraine [1].

Posée dans le décor familier, la pendule signale l'inscription du passé dans le présent [2]. C'est un objet de liaison, de même que certains mots font le lien entre les lieux et les époques : Loisy, par exemple, évoque l'enfance et le Valois, ce jeu de pérennisation étant inhérent au traitement du temps dans *Sylvie.* Il n'est donc point étonnant que la nouvelle, ancrée dans le XIXe siècle, ouvre constamment des fenêtres sur d'autres époques, d'autres mœurs, d'autres figures, historiques ou mythiques. Ainsi, au chapitre II, la scène où paraît Adrienne se déroule dans le parc d'« un château du temps de Henri IV », rappelant le cadre du poème « Fantaisie » de 1832, également intitulé « Vision [3] ». D'emblée, la jeune fille blonde est, elle aussi, associée à une « vision » surgie d'un passé intangible, et à un imaginaire historique et mythique. Dans la ronde des enfants se trouvent Adrienne et Sylvie, mais aussi le narrateur enfant. Or, ce moment est associé à un temps mythique – « nous pensions être en paradis » – mais aussi historique,

---

1. « Résolution », p. 22-23.
2. Plusieurs témoignages de contemporains de Nerval rappellent son goût pour les antiquités, recherchées pour leur histoire plutôt que pour leur utilité : « Il était si peu né pour les biens périssables, que, dans ses jours de luxe, il acheta un magnifique lit en bois sculpté, contemporain de Diane de Poitiers. Le lit fut apporté tout pompeux, avec une courtine et des lambrequins en lampas dans l'appartement de la rue du Doyenné, où, jusque-là, il n'avait jamais couché sous le prétexte assez raisonnable qu'il n'avait pas de lit. Eh bien, dans ce beau lit gothique, Gérard ne coucha jamais ; il aimait bien mieux le lit de l'imprévu et de l'aventure » (Arsène Houssaye, « Gérard de Nerval », dans *Le Rêve et la Vie*, Paris, Lecou, 1855, p. 26).
3. Voir « Adrienne », p. 17, et Dossier, p. 130.

puisque Adrienne serait « la petite-fille de l'un des descendants d'une famille alliée aux anciens rois de France [1] ». Enfin, la comparaison d'Adrienne à la Béatrice de Dante ajoute une dimension fictionnelle aux autres temporalités. La cérémonie, teintée de paganisme, abolit les frontières chronologiques, historiques et sociales.

Une telle « immixtion » des époques atteint son paroxysme dans le chapitre VII, « Châalis ». Adrienne y apparaît comme l'archange d'un mystère biblique, « réminiscence des tragédies de Saint-Cyr », dans le décor d'une abbaye en ruine marquée par la famille de Médicis, dont les « arcades byzantines » laissent entrevoir les « métairies de Charlemagne » [2]. Nerval brasse dix siècles d'histoire en un seul tableau. Le personnage d'Adrienne est à la conjonction des époques, illustrant la perméabilité des souvenirs personnels et collectifs.

Bien qu'en apparence plus prosaïque, le temps de Sylvie n'échappe pas aux retours dans le passé. L'évocation de la jeune fille ramène très souvent le lecteur aux rives du XVIIIe siècle finissant. Cette époque, si chère à Nerval, est celle des *Illuminés*, des *Confidences de Nicolas* [3], mais aussi celle de Jean-Jacques Rousseau, étape obligée vers le XIXe siècle nervalien. C'est le temps de l'oncle de Montagny, « qui avait vécu dans les avant-dernières années du XVIIIe siècle [4] », et dont le souvenir est associé à la mystique des temples de la philosophie, mys-

1. « Adrienne », p. 19. Cette formule porte sans doute le souvenir d'une chanson : « La Légende de Saint Nicolas » se termine en effet par « Et le troisième répondit : je me croyais en paradis. »
2. « Châalis », p. 46 et 47.
3. Œuvres de Nerval publiées respectivement en 1850 et 1852. *Les Confidences de Nicolas* furent intégrées à l'édition des *Illuminés* en 1852.
4. « Nuit perdue », p. 10-11. Le grand-oncle de Nerval, Antoine Boucher, a vécu à Mortefontaine.

tique qui supplée à d'autres croyances dont Nerval établit la généalogie dans « Cagliostro » :

> Lorsque le catholicisme triompha décidément du paganisme dans toute l'Europe, et construisit dès lors l'édifice féodal qui subsista jusqu'au XVe siècle – c'est-à-dire pendant l'espace de mille ans – il ne put comprimer et détruire partout l'esprit des coutumes anciennes, ni les idées philosophiques qui avaient transformé le principe païen à l'époque de la réaction polythéiste opérée par l'empereur Julien [1].

L'oncle du narrateur et la tante de Sylvie incarnent le dernier XVIIIe siècle, situé dans l'aura des Lumières, mais également associé au cercle plus sombre des « Illuminés [2] ». C'est le chapitre VI, « Othys », qui incarne le mieux la rencontre entre les deux siècles. Lorsque les enfants endossent les costumes de mariés de l'ancien temps, c'est toute la jeunesse de la tante de Sylvie qui reparaît, et avec elle, au second plan, la mémoire historique des chasses de Condé. Or, la situation est fortement théâtralisée, comme pour souligner l'apparition presque irréelle des enfants mariés : préparation dans la loge que constitue la chambre de la tante, découverte et essayage des costumes, maquillage, mise en scène d'un mariage factice, descente majestueuse par l'escalier… Le retour dans le passé est ici spectaculaire, comme l'étaient les fêtes de l'Arc et l'apparition d'Adrienne à Châalis, rémi-

1. Gérard de Nerval, « Cagliostro », *Les Illuminés*, dans *Œuvres complètes*, t. II, éd. citée, p. 1119.
2. Sous la plume de Nerval, les « Illuminés » désignent des personnages généralement en marge de la société, et dont une partie de l'existence fut secrète ou teintée de légende. Dans ses *Illuminés*, il relate l'existence de ceux qu'il appelle « les *excentriques* de la philosophie » (*Œuvres complètes*, t. II, éd. citée, p. 885). L'avant-propos de cet ouvrage, « La bibliothèque de mon oncle », fait écho au chapitre IX de *Sylvie* : « J'ai été élevé en province, chez un vieil oncle qui possédait une bibliothèque formée en partie à l'époque de l'ancienne révolution […] » (*ibid.*).

niscences païennes de traditions ancestrales. Ce retour du passé dans le présent par le biais du mariage d'enfant exprime la puissance poétique et prophétique du temps révélé [1]. Une telle mise en scène abolit « les hiatus et les assonances du temps [2] ». Dans son analyse du mariage des enfants, Dagmar Wieser lit là une scène « compensatrice », une lutte contre la mort et contre le temps [3].

PATRIMOINES

On ne saurait comprendre la temporalité de *Sylvie* sans étudier le rapport contigu que Nerval pose entre temps et espace. Selon Jacques Bony, « l'espace est l'élé-

---

1. Notons que la noce enfantine est une scène clé de l'univers nervalien. Elle apparaît dans *Le Marquis de Fayolle*, puis dans *Promenades et souvenirs*, avec des variantes dans les rôles que s'attribue le personnage-narrateur : « J'étais toujours entouré de jeunes filles ; – l'une d'elles était ma tante ; deux femmes de la maison, Jeannette et Fanchette, me comblaient aussi de leurs soins. Mon sourire enfantin rappelait celui de ma mère, et mes cheveux blonds, mollement ondulés, couvraient avec caprice la grandeur précoce de mon front. Je devins épris de Fanchette, et je conçus l'idée singulière de la prendre pour épouse selon les rites des aïeux. Je célébrai moi-même le mariage, en figurant la cérémonie au moyen d'une vieille robe de ma grand-mère que j'avais jetée sur mes épaules. Un ruban pailleté d'argent ceignait mon front, et j'avais relevé la pâleur ordinaire des mes joues d'une légère couche de fard. Je pris à témoin le Dieu de nos pères et la Vierge sainte, dont je possédais une image, et chacun se prêta avec complaisance à ce jeu naïf d'un enfant. Cependant, j'avais grandi ; un sang vermeil colorait mes joues ; j'aimais à respirer l'air des forêts profondes. Les ombrages d'Ermenonville, les solitudes de Morfontaine, n'avaient plus de secrets pour moi. Deux de mes cousines habitaient par là. J'étais fier de les accompagner dans ces vieilles forêts, qui semblaient leur domaine » (*Promenades et souvenirs*, dans *Aurélia, et autres textes autobiographiques*, éd. citée, p. 229).

2. « Othys », p. 43.

3. *Nerval, une poétique du deuil à l'âge romantique*, Genève, Droz, 2004, p. 87 : « à la lumière de ces faits, le jeu théâtral (à l'instar des "chansons folkloriques" affectionnées par l'enfant) se charge d'une visée franchement compensatrice ».

ment primordial [...] : pas de temps qui ne soit en rapport avec un lieu, pas de personnage qui ne soit rattaché à un paysage [1] ». Comme le suggère en effet le sous-titre, les « souvenirs du Valois » n'appartiennent pas seulement au narrateur, mais à toute une région, creuset de légendes historiques et de mythes. La mémoire collective du Valois recueille certes les souvenirs personnels mais les met en résonance avec ceux, révolus, des siècles passés ; le récit remonte aux « fêtes druidiques », aux « Carlovingiens [2] », aux Médicis, dans un vaste mouvement qui embrasse tous les siècles dans un même paysage. Dans *Sylvie*, chaque image retrouvée appelle un patrimoine plus ancien, et le temps déborde constamment de sa coupe – avec ses treize occurrences, « ancien » est d'ailleurs l'un des « termes obsédants » du récit.

Sylvie intègre aux décors du Valois un patrimoine littéraire et pictural, qui jalonne sans cesse les sentiers de la mémoire. Le premier mouvement de la nouvelle se réfère à Watteau, peintre des *Fêtes galantes*, dont le chapitre IV, « Un voyage à Cythère » – qui évoque explicitement le célèbre tableau de ce peintre –, offre l'élégante transposition. La cérémonie aquatique que Nerval met en scène associe la « fête patronale » à une mémoire plus lointaine des lieux, teintée de paganisme. La scène reproduit-elle le tableau de Watteau, ou bien porte-t-elle la mémoire de fêtes plus anciennes, dont les vertus cathartiques sont éprouvées par le narrateur ? « Je compris que j'effaçais ainsi le souvenir d'un autre temps [3] », constate-t-il en couronnant Sylvie. La référence picturale souligne ici la valeur emblématique de l'épisode, chargé d'une

1. Jacques Bony, *Le Récit nervalien*, *op. cit.*, 1990, p. 162.
2. « Nuit perdue », p. 16, et « Retour », p. 65.
3. « Un voyage à Cythère », p. 29.

« fantaisie pleine de goût [1] » ; l'analogie entre la peinture et le mouvement du texte signale en outre un emploi « métapoétique » de Watteau. Nerval poétise sa description grâce à la référence picturale. Le jugement de Claudel sur Watteau pourrait ici s'appliquer à l'auteur de *Sylvie* :

> Poète ambigu, inventeur de sa propre prosodie, dont ne sait s'il vole ou s'il marche, son pied, ou cette aile quand il le veut déployée, à aucun élément étranger, que ce soit la terre, ou l'air, ou le feu, ou cette eau pour y nager que l'on appelle éther [2].

À l'image de Watteau, Nerval convoque les quatre éléments dans « Un voyage à Cythère ». Le souvenir du peintre, qui plane sur tout le chapitre, se dessine dans la sobre mélancolie des fêtes galantes, dont le narrateur goûte avec plaisir la résurgence païenne. Nerval se souvient en outre qu'une partie de la famille de Watteau était installée dans le Valois. La référence à ce peintre participe pleinement à l'enracinement poétique et pictural de *Sylvie* dans cette région.

Une figure tutélaire, par ailleurs, plane sur le Valois de Nerval : celle de Jean-Jacques Rousseau. « Ermenonville », l'un des plus poignants chapitres de la nouvelle, superpose des paysages d'une profonde tristesse à des images plus anciennes, toutes liées à la présence de Rousseau – qu'il s'agisse d'images fictives ou d'images réelles, telle la série « de gravures de l'*Émile* et de *La Nouvelle Héloïse* [3] » que redécouvre le narrateur et que prolonge ensuite la promenade sur les pas du philosophe. Dans *Sylvie*, Ermenonville est un lieu devenu sacré par la présence légendaire de Rousseau. Les anecdotes tirées de ses

1. *Ibid.*, p. 30.
2. *L'Œil écoute*, dans *Œuvres complètes en prose*, préface de Gaëtan Picon, Gallimard, « Bibliothèque de la Pléiade », 1965, p. 241.
3. « Ermenonville », p. 54.

fictions ou inventées par la rumeur locale prennent le pas sur la réalité du séjour de Rousseau à Ermenonville. Même le pittoresque « père Dodu », malgré ses grivoiseries, est doté d'une soudaine respectabilité lorsqu'on apprend qu'il a été l'enfant à qui Rousseau apprit à cueillir la ciguë. L'auteur des *Confessions* n'est donc pas seulement ici un modèle littéraire avec qui Nerval partage certains motifs (la solitude, la vie domestique, l'errance nostalgique, la résignation) ; c'est une entité légendaire, objet d'un culte en pays de Valois [1]. « Pour Nerval, les souvenirs littéraires ont autant de force, autant de poids que ses souvenirs personnels, le passé proche et le passé lointain s'éclairant l'un l'autre », note Gérard Macé [2]. Dans *Sylvie*, en effet, la littérature, mais aussi la peinture et la musique offrent des médiations entre les époques et une méditation sur le présent.

Pour autant, la fable de *Sylvie* est-elle tout uniment enracinée dans un passé nourri de légendes ? Le dernier chapitre, en dépit de sa profonde nostalgie, se tourne très discrètement vers l'avenir, si l'on veut bien prêter l'oreille aux cris joyeux des deux enfants de Sylvie. « Lolotte » s'est mariée. La survivance des souvenirs du Valois serait-elle assurée ?

L'INCANTATION DES LIEUX

Sylvie obéit à la loi binaire de deux espaces *a priori* en conflit : Paris, point de départ géographique de la nouvelle ; le Valois, attaché à l'enfance du narrateur et lui-même scindé en deux espaces, les terres aristocratiques

1. Voir en particulier M. Streiff-Moretti, *Le Rousseau de Gérard de Nerval. Mythe, légende, idéologie*, Nizet, 1976, *passim*.
2. Gérard Macé, *Je suis l'autre*, *op. cit.*, p. 64-65.

d'Adrienne et l'univers de Sylvie qui oscille entre le village (Loisy) et la ville (Dammartin, Senlis). Dans le récit, les lieux du passé sont sacralisés plus que ne l'est la fourmilière parisienne, monde bourdonnant qu'évoque la soirée théâtrale de « Nuit perdue ». Par le souvenir qu'il porte et les réminiscences qu'il ravive, le Valois est une terre d'élection, chargée d'une mémoire affective qu'explique Nerval dans « Angélique » :

> Quoi qu'on puisse dire philosophiquement, nous tenons au sol par bien des liens. On n'emporte pas les cendres de ses pères à la semelle de ses souliers, – et le plus pauvre garde quelque part un souvenir sacré qui lui rappelle ceux qui l'ont aimé [1].

Rappelons que le patronyme choisi par Gérard Labrunie le ramène au Valois, au décor de l'enfance qui sera celui de *Sylvie* : le « clos de Nerval », lieu-dit situé près de Loisy et dont le suffixe « -val », par jeu phonique, évoque le Valois, fixe l'identité de l'écrivain dans un coin de verdure, un espace connu et repérable. Attaché à une terre dont il s'octroie l'appartenance en se conférant un titre aristocratique, Nerval s'enracine dans une localité constellée de lieux aussi familiers que les génies domestiques, aussi envoûtants que les chansons folkloriques qu'il y a entendues. Aussi le voyage dans le temps s'accompagne-t-il d'une forte inscription dans l'espace, marquée dans le récit par l'allusion à des éléments d'architecture (châteaux, maisons, temples, ruines), et surtout à un large éventail de lieux.

Dans *Sylvie*, villes, villages et hameaux ont une fonction poétique, voire musicale. Le récit cultive les souvenirs en égrenant la litanie des villages et des hameaux, obéissant à une logique intime et incantatoire, celle d'une

---

1. « Angélique », *Les Filles du Feu. Les Chimères*, éd. citée, p. 115.

« géographie magique », selon la formule de Nerval reprise par Jean-Pierre Richard [1]. La topographie se fait poésie quand les lieux-dits, les villes et les villages envahissent la page, invitant à pénétrer plus avant dans les souvenirs. L'antienne du récit se nourrit ainsi des noms répétés qui font apparaître, comme par magie, un château, une maison, une forêt, le clocher d'un village, ou même la figure d'un ancêtre ou de quelque défunt.

Pour que le temps s'assouplisse et s'étende, il semble indispensable au narrateur de nommer les lieux aimés en vue de les faire revivre. « Loisy », répété seize fois au fil du récit, est un nom chantant qui rime avec « Sylvie ». « Othys », « Châalis », « Ermenonville » parachèvent la mélodie nervalienne. Ce sont là autant de mots qui, associés aux chansons et aux vieilles romances, permettent au narrateur de réentendre son passé. Nombreuses sont les notations auditives dans *Sylvie*, dont les plus communément étudiées sont les chansons. Mais les lieux eux-mêmes ont leur tessiture plus ou moins grave, comme la voix humaine : le rire du frère de lait ou l'accent des paysans qui « s'obstinent à appeler *Châllepont* [2] » Charlepont ; la voix aérienne d'Adrienne ; ou encore le chant perdu de Sylvie. Plus que jamais, l'expression « réalisme et invention » utilisée par la critique nervalienne [3] prend sens dans ce rapport analogique qu'établit Nerval entre les lieux, leur appellation et leur poésie sonore. C'est que, pour lui, la toponymie et la science onomastique s'attachent à la mémoire des hommes. Le Valois est d'abord peuplé de voix.

---

1. « La géographie de Nerval », *Poésie et profondeur*, Seuil, 1955, p. 15-89.
2. « Retour », p. 66.
3. Gabrielle Chamarat-Malandain, *Nerval, réalisme et invention*, Orléans, Éditions Paradigme, 1997.

> Me direz-vous pourquoi j'aime tout le monde dans ce pays, où je retrouve des intonations connues autrefois, où les vieilles ont les traits de celles qui m'ont bercé, où les jeunes gens et les jeunes filles me rappellent les compagnons de ma première jeunesse ? Un vieillard passe : il m'a semblé voir mon grand-père ; il parle, c'est presque sa voix [1].

À Paris, la voix d'Aurélie est également objet de fascination, annonçant le charme qu'exerce le timbre d'Adrienne sur le narrateur : « la vibration de sa voix si douce et cependant fortement timbrée me faisait tressaillir de joie et d'amour. Elle avait pour moi toutes les perfections, elle répondait à tous mes enthousiasmes, à tous mes caprices [2] », note-t-il. Mais l'actrice ne chante pas, contrairement à la terre qu'il revisite.

Mise en scène dans les titres, qui évoquent des villages ou des villes lointaines (Cythère), la toponymie est volontairement répétée, comme si Nerval voulait se convaincre que les lieux existent réellement et poétiquement, quitte à remodeler la carte du Valois et à substituer « Montagny » à Mortefontaine, lieu du cœur de l'enfance impossible à dire. La poésie du récit tient à la capacité de l'auteur à faire apparaître le décor par son évocation : les énumérations des chapitres I, III, ou encore du « Dernier feuillet » relèvent ainsi de la fantaisie poétique plus que du réalisme géographique.

Deux lieux sont fortement connotés, ouverts sur des temps mémoriels : Châalis et Ermenonville. L'ouverture du chapitre VII esquisse le décor presque irréel de Châalis, auquel le narrateur n'accède qu'après avoir franchi d'autres lieux. Châalis, nom aux sonorités étranges que la double voyelle et l'accent circonflexe musicalisent, est

1. *Promenades et souvenirs*, dans *Aurélia, et autres textes autobiographiques*, éd. citée, p. 235.
2. « Nuit perdue », p. 9.

répété, passant du statut de complément à celui de sujet. « Nous rattrapâmes le pavé à Mont-Lévêque, et quelques minutes plus tard nous nous arrêtions à la maison du garde, à l'ancienne abbaye de Châalis. – Châalis, encore un souvenir [1] ! » La répétition du nom, rendu lyrique par la modalité exclamative, crée une prosodie de soupirs répétés. Ermenonville subit un sort similaire : le nom du village exerce un charme à force d'être répété. Ainsi, les lieux semblent soupirer dans le « Dernier feuillet » : « Ermenonville ! », « d'abord Othys, – puis Ève, puis Ver » [2]. Ils vibrent à l'unisson d'un souvenir, entre exaltation et murmure de tristesse. Tous ces lieux, tous ces noms qui saturent le récit, loin d'en accentuer la « couleur locale » ou le réalisme, tissent la trame poétique du voyage dans le temps. Dans cette litanie toponymique, la critique a relevé dès longtemps l'absence du village de Mortefontaine où grandit Nerval – peut-être se cache-t-il derrière Montagny ? Mortefontaine est-il évoqué par un jeu d'allusions quand le narrateur songe au « feu follet fuyant sur les joncs d'une eau morte [3] » ? Cette disparition du village dans le paysage de *Sylvie* résonne étrangement avec l'absence de patronyme du personnage-narrateur, dont on ne connaît que le surnom aux connotations hypocoristiques : « petit Parisien ».

Si Paris apparaît comme point de départ du récit, la capitale passe en somme rapidement au second plan. La plongée dans la nuit que constitue le trajet de Paris à Loisy correspond à la redécouverte de décors, et, à travers eux, l'intrigue balbutie, orientée par le pèlerinage incertain. C'est la même trajectoire que suivront les *Promenades et souvenirs*, laissés inachevés sur le chapitre

1. « Châalis », p. 44-46.
2. « Dernier feuillet », p. 77 et 79.
3. « Résolution », p. 21.

« Chantilly ». La mémoire du narrateur est intrinsèquement liée au Valois, sa terre natale et son asile. Le récit cadre (voyage vers Loisy, retrouvailles avec Sylvie, voyage avec Aurélie à Senlis) obéit ainsi à la loi de la gravitation, qui ramène toujours le personnage vers les lieux du passé. *Sylvie* a cela d'exceptionnel que la mesure du temps y dépend d'une carte, déchiffrée à la lumière des moments plus anciens attachés aux lieux, que le narrateur se représente plus qu'il ne les restitue objectivement. Ainsi, le « château du temps de Henri IV [1] », décor récurrent dans l'univers nervalien, évoque les époques qu'il a traversées, auxquelles Adrienne est associée. Or la *représentation* procède du travail de l'imagination créatrice, non de la reconstitution réaliste. Au risque de se perdre et de perdre le lecteur dans une géographie recomposée, l'histoire vaticine d'un « chemin bordé de pommiers » à « la route de Loisy » [2].

L'ENFANCE ET SES SORTILÈGES

Loisy, Sylvie : deux mots d'enfance. Deux noms qui incarnent à la fois un lieu idéal, le Valois, mais aussi les heures heureuses de l'insoucieux « âge tendre ». Le Loisy de Nerval, aussi petit que le Liré de Du Bellay, concentre, sans que la biographie l'explique clairement, les premières lueurs de la vie [3]. La quête amoureuse qui semble animer les projets du narrateur relèverait même, selon

1. « Adrienne », p. 17.
2. « Résolution », p. 24, et « Ermenonville », p. 56.
3. La tradition veut que Nerval ait été placé en nourrice à Loisy, mais rien n'étaye cette donnée biographique. Est-ce parce que Loisy est à peu près équidistant de Mortefontaine et d'Ermenonville (explication proposée par Jacques Bony) ? Le choix de ce lieu emblématique de *Sylvie* conserve une part de mystère.

Gabrielle Chamarat-Malandain, d'une « tentative plus large, plus exigeante, pour retrouver le point où s'originent la quête et le cercle des images : le temps de la petite enfance, la vie dans le Valois, la transparence de la relation communautaire, comme le suggère assez précisément le second titre : "Souvenirs du Valois" [1] ».

Dans *Sylvie*, l'enfance est singulièrement associée à l'idée de fête. « Adrienne » plonge le lecteur dans l'atmosphère d'une ronde nocturne, qui auréole la jeunesse des protagonistes d'une dimension sacrée. Les jeux d'enfants procèdent d'une ritualisation où dominent les symboles du cercle – la ronde, le couronnement – et de l'élévation – le chant céleste, les gestes tournés vers les branches des arbres, vers les étoiles. Le sortilège qu'exerce cette « scène primitive [2] » sur le narrateur est d'autant plus puissant qu'il décrit un éden jamais retrouvé : « Nous pensions être en paradis [3] », précise-t-il. Ce « vert paradis des amours enfantines » cher à Baudelaire prend les allures d'une vision fugitive, signalée à la fin du chapitre par la prolepse narrative, annonçant la suite du récit : « Aux vacances de l'année suivante, j'appris que cette belle à peine entrevue était consacrée par sa famille à la vie religieuse [4]. » Pourtant, une nouvelle cérémonie rappelle l'apparition d'Adrienne. La montée vers les cieux se répète au chapitre IV, cette fois sous les auspices de Sylvie.

Sylvie ne renoue pas avec l'enfance en général, mais peint des scènes d'enfants. Le vertige des réminiscences enfantines introduit des étapes identifiables dans

1. Gabrielle Chamarat-Malandain, « L'enfance dans l'œuvre de Nerval », *Nerval, réalisme et invention*, *op. cit.*, p. 113.
2. En psychanalyse, la scène primitive correspond à un moment de fixation d'un fantasme sexuel, au cours duquel l'enfant assiste à une relation sexuelle.
3. « Adrienne », p. 19.
4. « Adrienne », p. 20.

l'errance du narrateur. Ainsi, au chapitre IV, le personnage est un peu plus âgé qu'au chapitre II, et se souvient déjà avec nostalgie de la danse et du chant d'Adrienne : « Quelques années s'étaient écoulées : l'époque où j'avais rencontré Adrienne devant le château n'était plus déjà qu'un souvenir d'enfance [1]. » Nerval explore la mélancolie enfantine, signalant au passage que son narrateur est peut-être devenu adolescent : l'enfant regarde le petit enfant grandir. Plus loin, au chapitre IX, à Ermenonville, le narrateur adulte revient sur ses terres et retrouve « un jardin d'enfant [...] tracé jadis [2] ». Ainsi, la nostalgie de l'enfance perdue se perpétue d'un âge à l'autre, avec un degré d'intensité variable, selon qu'elle est éprouvée par un jeune adulte (celui de « l'époque étrange » du premier chapitre), ou par un adulte mature (le narrateur du « Dernier feuillet », qu'on associe volontiers à la figure de l'auteur en 1852) [3]. Toutes ces nuances décrivent l'effet que produit l'élasticité du temps : le cœur de l'enfance reste le même, mais le point de vue temporel change, et avec lui la perception des souvenirs.

Sylvie, en s'enracinant dans l'enfance, offre en somme l'expérience d'une vie envisagée dans sa durée, mais aussi d'une prise de conscience du temps qui se dérobe. Si le présent est décevant – Sylvie a changé, le Parisien ironise sur son attitude de « soupirant » et de « seigneur poète » au chapitre XIII –, cela ne signifie pas qu'il faille endeuiller l'enfance. Nerval maintient un équilibre entre la conscience navrée et le bonheur d'antan ; car c'est le propre de la nostalgie que de montrer la fêlure des ans et d'en faire un matériau poétique. En songeant à son

1. « Un voyage à Cythère », p. 25.
2. « Ermenonville », p. 56.
3. Voir l'analyse de Gabrielle Chamarat-Malandain reproduite dans le Dossier, p. 122-124.

enfance, le narrateur constate certes que « là était le bonheur peut-être [1] », mais il suggère aussi que l'enfant qu'il était ne savait pas qu'alors, sous ses yeux, se déployait le bonheur d'une vie entière. *Sylvie*, avec ses entrelacs de fantasmes et de souvenirs mêlés, décrit la vérité irréfragable de l'enfance confrontée aux réalités douloureuses du monde adulte. Une telle tension est poétiquement suggérée par le traitement des éclairages. La nuit de l'enfance est baignée d'une bienfaisante et lénifiante lumière lunaire. Le chapitre II se déroule dans cette atmosphère tamisée, qui lui confère sa dimension d'irréalité. Au chapitre VIII, le retour à Loisy correspond au contraire à la fin de la nuit, aux premières lueurs matutinales. Or l'éclairage du « bal de Loisy » annonce l'humeur noire qui enveloppe le retour au pays natal ; l'aurore n'annonce pas la lumière du jour, mais les ténèbres du désenchantement : au moment où le narrateur rejoint Sylvie et l'accompagne, « il faisait grand jour, mais le temps était sombre [2] ». La nuit lumineuse de l'enfance s'oppose aux jours endeuillés de l'âge adulte.

Sylvie pose ainsi un regard rétrospectif sur la conscience ductile de l'homme et sur sa perception du temps. Les chapitres II, IV, V et VI montrent que l'enfant ne mesure pas la densité du présent qu'il vit. C'est bien des années plus tard qu'il comprend que ses jeux étaient signifiants et auraient pu éclairer son avenir. Le texte fait cependant affleurer les intuitions de l'enfant que le narrateur adulte s'ingénie à déchiffrer. Mais les souvenirs se sont désincarnés ou effacés, à l'image du « crayon estompé par le temps [3] ». Cette expérience du temps est celle de chacun, non plus celle, unique et rare, de Nerval.

---

1. « Dernier feuillet », p. 79.
2. « Le bal de Loisy », p. 51.
3. « Résolution », p. 21.

« Il faut se faire une raison [1] », dit Sylvie. Les pages d'enfance de *Sylvie*, à l'image des *Scènes d'enfant* de Robert Schumann, forment une série de miniatures, tantôt drôles, tantôt mélancoliques, mais toutes imprégnées du sentiment d'irréversibilité : « Cela ne dure pas », constate la tante de Sylvie [2]. Et ces « Pays lointains », que peint Schumann dans la premières de ses *Scènes d'enfant*, sont au rêve ce que l'enfance est à l'existence humaine : ils se dérobent sous les pas du promeneur.

L'ÉPANCHEMENT DE LA POÉSIE DANS LA PROSE

La porosité des strates temporelles a pour corollaire, dans *Sylvie*, un décloisonnement de la prose. Nerval atteint ici la perfection de son style, qui est dans l'équilibre entre fantaisie et réalisme. Dans l'embrasure de la prose, la poésie laisse constamment passer sa lumière, souvent tamisée dans le premier mouvement du récit, parfois crue dans le second. Espace décloisonné, comme est fragmenté le microcosme du Valois, la prose invite constamment la poésie à entrer dans la marche, à se glisser dans les interstices des notations réalistes. Un tel processus introduit un principe d'écho et de variation dans l'écriture, comme le note Jean-Nicolas Illouz à propos des chapitres II et IV :

1. « Le bal de Loisy », p. 51.
2. « Othys », p. 38. Composées en 1838, les *Scènes d'enfant* forment un cycle de quatorze pièces brèves. Même identité plurielle de la nuit chez Nerval et Schumann, qui explorent aussi bien les confins de la folie et de l'anéantissement que les moments lénifiants des nuits paisibles. Sur le plan du style, on retrouve le contraste entre les rythmes saccadés où s'aheurtent les tonalités et les amples déploiements où la parole libère un lyrisme ouvert sur le monde.

> Dans le travail du rêve comme dans le travail du texte, les figures de la métaphore et de la métonymie impliquent l'écart irréductible d'une différence, par laquelle le travail inconscient manque toujours son objet en le différant dans le procès même de la symbolisation. De fait, au sein des ressemblances qui font se superposer le chapitre IV et le chapitre II, plusieurs différences apparaissent entre les deux textes, soulignant l'impossible coïncidence du désir et de son objet, en même temps qu'elles réassurent, contre le principe de répétition qui fonderait une organisation poétique du récit, un principe de variation qui maintient le déroulement narratif de la nouvelle [1].

L'épanchement du vers dans la prose participe au dialogue entre les époques, grâce à la digression, au commentaire, à la notation d'une référence. Mais cet épanchement traduit aussi la recherche d'un équilibre entre la restitution du vrai et l'invention. En cela, Nerval est bien l'héritier des écrivains fantaisistes, de Sterne à Hoffmann, pour qui le réel est une source inépuisable d'analogies et de digressions, et dont le style, « à sauts et à gambades », confère au récit une humeur, et même un humour. Car le style de *Sylvie* est souvent combinatoire et Nerval, à la manière de Musset, glisse une larme dans un sourire. La fantaisie de l'écriture se manifeste en particulier quand l'auteur « perle », comme il l'écrit lui-même en ironisant sur son propre style – c'est-à-dire lorsqu'il s'adonne à des accumulations, avec des effets d'amplification correspondant aux moments d'exaltation du narrateur [2]. Dans le sillage de Chateaubriand, Nerval réinvente la prose : y domine l'analogie entre l'impression et la vérité du détail. *Sylvie* trace ainsi le sillon des *Promenades et souvenirs* qui entrecroisent descriptions et

1. *Nerval, le « rêveur en prose ». Imaginaire et écriture*, *op. cit.*, p. 89.
2. Voir Dossier, p. 103.

touches personnelles. Ces deux œuvres sont marquées par l'idée du pèlerinage salvateur qui se commue en prise de conscience et en expérience poétique. Plaçant ses pas dans ceux d'illustres prédécesseurs (Théophile de Viau, Rousseau), Nerval fait allégeance à tout un pan de sa culture. Le pèlerinage occupe une double fonction dans *Sylvie* : il est retour aux sources et puisement de l'éternel aliment d'une souffrance intérieure dans les pas du marcheur.

NOIRES CHIMÈRES

Proust refusait de voir en *Sylvie* une histoire simple, une charmante pastorale. Entre les lignes de ce récit à la gracieuse fantaisie, la mort guette et opacifie les tableaux. La fin d'Adrienne en 1832 est en effet saisissante en ce qu'elle indique qu'une grande part de *Sylvie* s'est déroulée dans l'ombre funèbre d'une absente. Le fantôme d'Adrienne plane sur plusieurs chapitres : I, VIII, IX, XI, XII, XIII, XIV. D'autres signes font d'elle une figure plus morte que vive – sa pâleur irréelle au chapitre II, le rôle qu'elle tient dans le chapitre VII… Adrienne est une figure du deuil.

Le finale tragique de la nouvelle marque un retour offensif du macabre qui parachève la tristesse du dernier feuillet. Cette issue est-elle surprenante ? Faut-il y lire, comme le suggère Jacques Bony, « une fin étonnante qui achève la nouvelle sur un non-sens [1] » ? Non-sens ou point de non-retour, l'ancrage brutal de la nouvelle à une date est mortifère. L'année 1832, la seule date citée dans le récit, même si elle est imprécise (« vers 1832 »), est une

1. *Sylvie*, dans *Œuvres complètes*, t. III, 1993, éd. citée, p. 1228.

année terrible dans le siècle de Nerval. C'est l'année de la comète de Biéla, du choléra, des barricades de juin. Paris, comme aux temps des grandes épidémies, renoue alors avec des peurs ancestrales. Les cadavres sont dans les rues et les églises sonnent le glas. La fin de *Sylvie* – ou son origine – s'enracine-t-elle dans cette « époque étrange » ? La mémoire nervalienne, avec ses ramifications et ses analogies, indique clairement que 1832 n'est pas fruit du hasard. Cette année-là, Gérard Labrunie, qui avait commencé des études de médecine avant de se consacrer aux lettres, reprend son scalpel pour assister son père : « Je fais des visites pour le choléra comme font maintenant tous les étudiants, les médecins étant insuffisants de beaucoup pour le nombre des malades [1] », écrit-il à son ami Papion du Château. Épisode historique et temps personnel se rejoignent dans les derniers mots de *Sylvie*, en une sorte de déflagration mortifère. Le récit cadre, qu'on a pu situer entre 1832 et 1836, semble poser la mort d'Adrienne comme signe des temps. Or, Claude Millet note que, dans les récits romantiques, « ces entremêlements de la littérature et de l'histoire ne renvoient pas seulement à des questions d'ordre stylistique ou narratif, mais à la question de la *poièsis*, de la création, de l'écriture comme fiction [2] ». Cette proposition, appliquée à *Sylvie*, rappelle que l'inscription de la mort dans le récit participe d'une poétique de la prose, autrement dit d'une réflexion esthétique et éthique sur la signification du récit. Le célèbre « désenchantement romantique », qui se manifeste pleinement vers 1832, donne le ton de la nouvelle et sa véritable couleur : le noir.

1. Cité par Michel Brix, *Nerval journaliste (1826-1851)*, Namur, Presses universitaires de Namur, 1989, p. 63.
2. Claude Millet, *Le Romantisme*, LGF, 2007, p. 141.

Aussi peut-on lire dans *Sylvie* bon nombre de signes et de manifestations du macabre. Le chapitre IX offre un véritable florilège d'indices funestes, décrits ou ressentis : tombeau de Rousseau, jardin effacé qui ressemble à une tombe oubliée, chien empaillé, annonce de la mort de la tante de Sylvie, etc. La peine qui plane sur cette partie de la nouvelle fait d'« Ermenonville » le sanctuaire des illusions. À rebours, la construction de la nouvelle donne sens à toutes les intuitions fatales éprouvées par le narrateur, qui revient sur des lieux marqués par le deuil, ignorant qu'Adrienne est passée dans l'autre monde. La nouvelle laisse pressentir cette présence de la mort dès le chapitre VII. Le tableau eschatologique que représente le mystère relève d'une vision, fantasmagorie aux contours allégoriques. C'est en effet l'image de l'ange exterminateur qui surgit ici, avant l'apothéose du Christ :

> La scène se passait entre les anges, sur les débris du monde détruit. Chaque voix chantait une des splendeurs de ce globe éteint, et l'ange de la mort définissait les causes de sa destruction. Un esprit montait de l'abîme, tenant en main l'épée flamboyante, et convoquait les autres à venir admirer la gloire du Christ vainqueur des enfers [1].

Adrienne, « c'est la mort – ou la morte », « la première ou dernière [2] », avec laquelle aucune vivante ne peut rivaliser, fût-elle une étoile de la scène, tant son rayonnement symbolique nimbe la nouvelle d'une aura fantomatique. Le fait qu'elle devient religieuse va dans le même sens : prononcer ses vœux, c'est renoncer au monde.

---

1. « Châalis », p. 48.
2. « Artémis », *Les Filles du Feu. Les Chimères*, éd. citée, p. 322.

LES THÉÂTRES DE *SYLVIE*

Expérience fondamentale, le théâtre oriente la signification de la fiction dans *Sylvie.* Les scènes de théâtre se déclinent en une série de représentations vécues ou imaginées, toutes déchiffrées au prisme de la fantaisie du narrateur et de la fascination personnelle de Nerval pour la scène et ses chimères [1].

Tout commence au théâtre, lieu emblématique des illusions, du mensonge et des conventions. Le moment est inscrit dans une durée, une répétition, qui conditionne l'existence du narrateur : « tous les soirs [2] », précise le récit. Or cette réitération procède d'une révélation à soi-même, que le narrateur ne déchiffre qu'après s'être souvenu d'Adrienne. En cela, la scène de théâtre cristallise les zones d'ombre de la conscience. Le « souvenir de théâtre, tel qu'il est raconté par les autobiographes, représente un moment décisif dans la construction d'un sujet à l'autre et au monde », remarque Florence Naugrette [3]. Nerval construit en effet le monde enfoui des souvenirs à partir d'une situation de théâtre. Rien n'est dit de la représentation (s'agit-il d'un drame, d'une comédie ?), mais l'épanchement de la fiction dans la réalité commence là, dans la salle de spectacle. C'est le souvenir d'une soirée de théâtre revécue chaque jour qui fixe l'existence dans une durée paradoxale. Le théâtre de la « Nuit perdue » offre ainsi une saisissante expérience de brouillage temporel : confronter la durée de la représentation théâtrale au temps de la fiction représentée.

---

1. Voir notamment l'excellent ouvrage de Gabrielle Chamarat-Malandain, *Nerval ou l'Incendie du théâtre. Identité et littérature dans l'œuvre en prose de Gérard de Nerval,* José Corti, 1986, p. 125-152.
2. « Nuit perdue », p. 9.
3. *Le Plaisir du spectateur de théâtre,* Bréal, 2002, p. 13.

Aucune indication n'est donnée sur le spectacle auquel le narrateur assiste, mais ce qui importe, c'est la réitération, la répétition d'une situation qui fait sens : celle d'un adorateur qui contemple chaque soir son idole transfigurée par la lumière des planches. La première scène de théâtre annonce une série d'autres représentations, toutes teintées d'une dimension festive et nocturne ; la fête de nuit domine le récit jusqu'à saturer la première partie. Chaque scène de théâtre apporte une vérité, un éclairage sur le réel ou sur la perception sensible du narrateur [1]. Au chapitre II, celui-ci utilise une expression éloquente : « je me représentais » ; c'est un théâtre mental qui s'anime à la lisière de la rêverie et de la lucidité, et, comme on se « fait un film », le narrateur brode sa fiction en images. Ce besoin de se représenter des scènes de spectacles repose sur la faculté imageante du narrateur, capable de « voir ».

Ainsi, Aurélie, en qui on a longtemps vu la figure de Jenny Colon, actrice aimée de Nerval et morte prématurément, hante les nuits du narrateur [2]. Mais par un subtil jeu de paradoxes, c'est elle-même, l'actrice adulée, qui déjoue ses illusions : « vous cherchez un drame, voilà tout, et le dénouement vous échappe [3] ». Double ironie que cette cinglante réplique d'Aurélie, la dernière qu'elle prononce dans la nouvelle, puisqu'elle renvoie le person-

---

1. Dans le chapitre I, il fait l'expérience de l'empathie : « Je me sentais vivre en elle, et elle vivait pour moi seul » (« Nuit perdue », p. 9). Au chapitre XIII, il comprend que le théâtre est un monde d'illusions qui lui révèle la vérité : « Aurélie joua le soir à Senlis. Je crus m'apercevoir qu'elle avait un faible pour le régisseur, – le jeune premier ridé » (« Aurélie », p. 76).
2. La cristallisation de Nerval pour l'actrice Jenny Colon a été glosée par la critique au XIXe siècle. Les approches plus récentes de l'œuvre de Nerval insistent toutefois davantage sur l'autonomie esthétique de la création nervalienne, la délestant d'un « biographisme » parfois envahissant et susceptible d'entraver la compréhension des œuvres.
3. « Aurélie », p. 76.

nage à ses chimères tout en dévoilant les égarements de ses fictions. L'orgueil d'Aurélie, piquée d'être assimilée à une autre, signale la vanité de l'illusion et répond aux questions que se posait le narrateur dans le premier chapitre : sous le fard de l'actrice, il y a bien une femme réelle. C'est cependant par la voix de l'actrice que la vérité s'instille, sensiblement, à l'approche de la fin. Le narrateur joue le mauvais rôle, celui de « seigneur poète », condamné à souffrir. Le dénouement que prophétise Aurélie sera en effet digne d'un drame : l'héroïne meurt, les espoirs d'être aimé disparaissent, et le narrateur reste seul.

*

Avec *Sylvie*, Nerval a-t-il atteint le livre idéal, « une eau limpide qui réfléchit les objets, mais qui ne les colore pas plus que l'objet lui-même [1] » ? *Sylvie* est une œuvre d'une étrange euphonie, d'une mystérieuse transparence, tracée dans l'orbe d'une trajectoire humaine, d'un théâtre à une fête de nuit, d'un rêve à une réalité endeuillée par la poussière du temps. La nouvelle s'enracine dans le Valois pour refleurir à la lumière du temps retrouvé : la tentative de reverdie ne laisse voir que les « écorces d'un fruit » dont la « saveur est amère » [2], mais l'accomplissement artistique, lui, est magistral.

Si la gorge du lecteur se noue à chaque page de ce petit livre, même dans les moments heureux ou drôles, c'est que Nerval sait dire l'impalpable tristesse qui accompagne chaque bonheur de la vie. Il est alors pleinement ce « poète ambigu, inventeur de sa propre prosodie »,

1. Alphonse de Lamartine, « Entretien CXLI », *Cours familier de littérature*, t. XXIV, Paris, Chez l'Auteur, 1867, p. 643.
2. « Dernier feuillet », p. 77.

dont parle Claudel à propos de Watteau. *Sylvie* semble dire que la seule manière de rendre le temps vécu supportable, c'est de le poétiser, de poser une musique intime sur la douleur du ressouvenir comme sur les désillusions du présent. Avec toute la modestie qui le caractérise, Nerval paraît avoir retenu les mots de Goethe sur le pouvoir hypnagogique de la mémoire instantanée :

> Est-ce le souvenir qui se refait *présent* ici ? ou les mêmes faits qui se sont passés se reproduisent-ils une seconde fois dans les mêmes détails ? C'est une de ces hallucinations effrayantes du rêve et même de certains instants de la vie, où il semble qu'on refait une action déjà faite et qu'on redit des paroles déjà dites, prévoyant, à mesure, les choses qui vont se passer [1].

Tout cela n'est-il qu'un rêve éveillé qui porte la trace d'instants vécus ? À ces questions, Nerval propose une réponse : « Je suis du nombre des écrivains dont la vie tient intimement aux ouvrages qui les ont fait connaître », avoue-t-il dans un passage émouvant des *Promenades et souvenirs* [2]. Tout aussi émouvants, les feuillets de *Sylvie*, un à un détachés de la mémoire du poète, ne font jamais mieux apparaître les visages et les paysages que lorsqu'ils ont disparu.

Sylvain LEDDA

---

1. Goethe, « Introduction », *Faust*, suivi du *Second Faust ; Choix de ballades et de poésies*, trad. Gérard [de Nerval], Paris, Gosselin, 1840, p. XVI.
2. Dans *Aurélia, et autres textes autobiographiques*, éd. citée, p. 233.

NOTE SUR L'ÉTABLISSEMENT DU TEXTE

Pour cette édition de *Sylvie*, nous avons suivi le texte établi par Jacques Bony (*Les Filles du Feu*, GF-Flammarion, 1994, p. 172-219). Ce texte est conforme à la seule édition de la nouvelle publiée du vivant de Nerval. En appendice figurent les « Chansons et légendes du Valois », que Nerval a adjointes à *Sylvie* dans l'édition des *Filles du Feu*. L'annotation de ce volume est redevable à l'édition des *Œuvres complètes* (Gallimard, « Bibliothèque de la Pléiade », 1993) ; elle doit également beaucoup aux travaux et trouvailles de Jacques Bony, ainsi qu'à Bertrand Marchal.

Nous adressons nos plus vifs remerciements à Corinne Bayle, à Jean-Nicolas Illouz, à Florence Naugrette, à Esther Pinon, ainsi qu'à Patrick Berthier.

S.L.

Sylvie

Souvenirs du Valois [1]

1. La nouvelle a été publiée pour la première fois dans la *Revue des Deux Mondes*, 15 août 1853, p. 745-771. Le sous-titre colore d'emblée le récit d'une teinte très personnelle : Gérard de Nerval a passé son enfance dans le Valois.

I

Nuit perdue

Je sortais d'un théâtre où tous les soirs je paraissais aux avant-scènes en grande tenue de soupirant. Quelquefois tout était plein, quelquefois tout était vide. Peu m'importait d'arrêter mes regards sur un parterre peuplé seulement d'une trentaine d'amateurs forcés, sur des loges garnies de bonnets ou de toilettes surannées, – ou bien de faire partie d'une salle animée et frémissante couronnée à tous ses étages de toilettes fleuries, de bijoux étincelants et de visages radieux. Indifférent au spectacle de la salle, celui du théâtre ne m'arrêtait guère, – excepté lorsqu'à la seconde ou à la troisième scène d'un maussade chef-d'œuvre d'alors, une apparition bien connue illuminait l'espace vide, rendant la vie d'un souffle et d'un mot à ces vaines figures qui m'entouraient.

Je me sentais vivre en elle, et elle vivait pour moi seul. Son sourire me remplissait d'une béatitude infinie ; la vibration de sa voix si douce et cependant fortement timbrée me faisait tressaillir de joie et d'amour. Elle avait pour moi toutes les perfections, elle répondait à tous mes enthousiasmes, à tous mes caprices, – belle comme le jour aux feux de la rampe qui l'éclairait d'en bas, pâle comme la nuit, quand la rampe baissée la laissait éclairée d'en haut sous les rayons du lustre et la montrait plus naturelle, brillant dans l'ombre de sa seule beauté, comme les Heures divines [1] qui se découpent [2], avec une étoile au front, sur les fonds bruns des fresques d'Herculanum [3] !

Depuis un an, je n'avais pas encore songé à m'informer de ce qu'elle pouvait être d'ailleurs ; je craignais de troubler le miroir magique qui me renvoyait son image, – et tout au plus avais-je prêté l'oreille à quelques propos concernant non plus l'actrice, mais la femme. Je m'en informais aussi peu que des bruits qui ont pu courir sur la princesse d'Élide ou sur la reine de Trébizonde [4], – un de mes oncles qui avait vécu

1. « Filles de Thémis et de Zeus, les Heures – Thallo, Carpo, Auxo – sont avant tout des divinités qui président à l'ordre de la nature et des saisons. Elles représentent donc, dans les traditions les plus habituelles, le printemps, l'été et l'hiver » (Joël Schmidt, *Dictionnaire de la mythologie grecque et romaine*, Larousse, 1998, p. 106).

2. Au troisième acte de *L'Imagier de Harlem*, que Nerval avait fait représenter en 1851, figurait un ballet des Heures. L'actrice est-elle Jenny Colon ? On remarquera qu'Aurélie n'est nullement cantatrice et qu'elle ne chante jamais…

3. Ville romaine située dans l'actuelle Campanie, et détruite, avec Pompéi, par l'éruption du Vésuve en 79 apr. J.-C.

4. Ces deux noms évoquent l'Orient : l'Élide est une région grecque située à l'ouest du Péloponnèse et Trébizonde une ville de Turquie, dans la région du Pont, au bord de la mer Noire. Théodora Comnène, qui mourut vers 1480, fille de Jean IV de Trébizonde, entra dans la légende sous le nom de princesse de Trébizonde. Célèbre pour sa beauté, cette souveraine chrétienne aurait été à l'origine d'une croisade contre les Turcs. Son mythe s'épanouit principalement à la Renaissance et jusqu'à l'âge classique. Mais Élide et Trébizonde renvoient aussi au monde du théâtre. *La Princesse d'Élide* (1664) est une comédie de Molière, mêlant musique et ballets. L'action de cette pastorale galante se situe dans une

dans les avant-dernières années du dix-huitième siècle [1], comme il fallait y vivre pour le bien connaître, m'ayant prévenu de bonne heure que les actrices n'étaient pas des femmes, et que la nature avait oublié de leur faire un cœur. Il parlait de celles de ce temps-là sans doute ; mais il m'avait raconté tant d'histoires de ses illusions, de ses déceptions, et montré tant de portraits sur ivoire, médaillons charmants qu'il utilisait depuis à parer des tabatières, tant de billets jaunis, tant de faveurs [2] fanées, en m'en faisant l'histoire et le compte définitif, que je m'étais habitué à penser mal de toutes sans tenir compte de l'ordre des temps.

Nous vivions alors dans une époque étrange, comme celles qui d'ordinaire succèdent aux révolutions ou aux abaissements des grands règnes [3]. Ce n'était plus la galanterie héroïque comme sous la Fronde [4], le vice élégant et paré comme sous la

---

Grèce de fantaisie. La princesse de Trébizonde a donné lieu à plusieurs versions scéniques depuis le XVIIIe siècle. Brunswick, De Leuven, Beauplan et Desforges ont fait représenter *Une princesse de Trébizonde* le 4 septembre 1853. En 1869, Jacques Offenbach compose un opéra bouffe intitulé *La Princesse de Trébizonde*.

1. Allusion au grand-oncle maternel de Nerval, Antoine Boucher, qui le recueillit à la mort de sa mère en 1810.

2. Rubans.

3. Cette « époque étrange » correspond sans doute aux premières années de la monarchie de Juillet (voir l'extrait de *Nerval, réalisme et invention*, de Gabrielle Chamarat-Malandain, dans Dossier, p. 122).

4. La Fronde désigne une série de rébellions aristocratiques contre le pouvoir royal entre 1648 et 1653. En 1651, la « fronde des Princes » fut menée par le Grand Condé (Louis II de Bourbon-Condé, 1621-1686), figure souvent citée dans l'œuvre de Nerval, en particulier dans *Sylvie*. La « galanterie héroïque » renvoie à la littérature baroque et précieuse qui connut son apogée au cours de ces années-là.

Régence [1], le scepticisme et les folles orgies du Directoire [2] ; c'était un mélange d'activité, d'hésitation et de paresse, d'utopies brillantes, d'aspirations philosophiques ou religieuses, d'enthousiasmes vagues, mêlés de certains instincts de renaissance ; d'ennuis des discordes passées, d'espoirs incertains, – quelque chose comme l'époque de Pérégrinus [3] et d'Apulée [4]. L'homme matériel aspirait au bouquet de roses qui devait le régénérer par les mains de la belle Isis [5] ; la

---

1. Après la mort de Louis XIV, en 1715, Philippe d'Orléans assure la régence durant la minorité de Louis XV (1715-1723). Cette période correspond à une libération des mœurs, après l'austérité des dernières années du règne du Roi-Soleil.

2. Forme de gouvernance politique (1795-1799) qui doit son nom à ses cinq directeurs. Après les violences de la Terreur, la période du Directoire voit naître un vif désir de divertissements et de plaisirs. En réaction aux heures sombres de l'histoire, « incroyables », « merveilleuses » et autres « muscadins » prônent le luxe, la danse et de délicieuses extravagances.

3. Philosophe du IIe siècle qui se donna la mort sur un bûcher ; Lucien de Samosate et Wieland ont contribué à le faire connaître. La description du « mal du siècle » qui figure ici n'est pas sans ressemblance avec le début de *La Confession d'un enfant du siècle* de Musset (1836), mais c'est spécifiquement l'époque de la « curée » (comme il l'écrit quelques lignes plus loin) qui a suivi 1830 que Nerval vise ici, époque marquée par le retrait volontaire de nombreux écrivains et artistes hors de toute vie publique (voir Dossier, p. 127).

4. Lucius, héros de *L'Âne d'or* d'Apulée (vers 125-vers 170), est transformé en âne après une erreur de flacon, ayant bu par erreur un mauvais breuvage. Il recouvre sa forme humaine en mangeant une couronne de roses que lui offrent les prêtres d'Isis, dont il devient le servant. On sait que Nerval s'intéressait particulièrement à *L'Âne d'or* d'Apulée.

5. Déesse protectrice dans la mythologie égyptienne. Sous la domination grecque, puis romaine, son culte s'est étendu dans tout le bassin méditerranéen. Isis est une figure mythique et syncrétique, essentielle dans l'imaginaire nervalien. Dans *Aurélia*, elle est « la mère et l'épouse sacrée », assimilée également à Vénus et à la Vierge Marie (voir IIde partie, chapitre V).

déesse éternellement jeune et pure nous apparaissait dans les nuits, et nous faisait honte de nos heures de jour perdues. L'ambition n'était cependant pas de notre âge, et l'avide curée qui se faisait alors des positions et des honneurs nous éloignait des sphères d'activité possibles. Il ne nous restait pour asile que cette tour d'ivoire des poètes, où nous montions toujours plus haut pour nous isoler de la foule. À ces points élevés où nous guidaient nos maîtres, nous respirions enfin l'air pur des solitudes, nous buvions l'oubli dans la coupe d'or des légendes, nous étions ivres de poésie et d'amour. Amour, hélas ! des formes vagues, des teintes roses et bleues, des fantômes métaphysiques ! Vue de près, la femme réelle révoltait notre ingénuité ; il fallait qu'elle apparût reine ou déesse, et surtout n'en pas approcher.

Quelques-uns d'entre nous néanmoins prisaient peu ces paradoxes platoniques, et à travers nos rêves renouvelés d'Alexandrie agitaient parfois la torche des dieux souterrains, qui éclaire l'ombre un instant de ses traînées d'étincelles [1]. – C'est ainsi que, sortant du théâtre avec l'amère tristesse que laisse un songe évanoui, j'allais volontiers me joindre à la société d'un cercle où l'on soupait en grand nombre [2], et où toute mélancolie cédait devant la verve intarissable de quelques esprits éclatants, vifs, orageux, sublimes

1. Au IIe siècle apr. J.-C., l'école néoplatonicienne d'Alexandrie prônait le syncrétisme religieux, que suggère déjà l'évocation d'Isis. Pour l'école théologique d'Alexandrie, le néoplatonisme, la Bible et les sciences ne sont pas incompatibles.
2. Plusieurs cafés du Palais-Royal entrent dans cette catégorie d'établissements. Le café de Valois, d'un certain renom, attirait des intellectuels et des artistes.

parfois, – tels qu'il s'en est trouvé toujours dans les époques de rénovation ou de décadence, et dont les discussions se haussaient à ce point, que les plus timides d'entre nous allaient voir parfois aux fenêtres si les Huns, les Turcomans ou les Cosaques n'arrivaient pas enfin pour couper court à ces arguments de rhéteurs et de sophistes [1].

« Buvons, aimons, c'est la sagesse ! » Telle était la seule opinion des plus jeunes. Un de ceux-là me dit : « Voici bien longtemps que je te rencontre dans le même théâtre, et chaque fois que j'y vais. Pour *laquelle* y viens-tu ? »

Pour laquelle ?... Il ne me semblait pas que l'on pût aller là pour une *autre*. Cependant j'avouai un nom. « Eh bien ! dit mon ami avec indulgence, tu vois là-bas l'homme heureux qui vient de la reconduire, et qui, fidèle aux lois de notre cercle, n'ira la retrouver peut-être qu'après la nuit. »

Sans trop d'émotion, je tournai les yeux vers le personnage indiqué. C'était un jeune homme correctement vêtu, d'une figure pâle et nerveuse, ayant des manières convenables et des yeux empreints de mélancolie et de douceur. Il jetait de l'or sur une table de whist et le perdait avec indifférence. « Que m'importe, dis-je, lui ou tout autre ? Il fallait qu'il y en eût un, et celui-là me paraît digne d'avoir été choisi. – Et toi ? – Moi ? C'est une image que je poursuis, rien de plus. »

1. La société que peint Nerval rappelle les réunions du Petit-Doyenné (voir Dossier, p. 129-130), auxquelles participait notamment Théophile Gautier. Les habitués du Doyenné étaient des excentriques, y compris dans leurs tenues vestimentaires.

En sortant, je passai par la salle de lecture, et machinalement je regardai un journal. C'était, je crois, pour y voir le cours de la Bourse. Dans les débris de mon opulence se trouvait une somme assez forte en titres étrangers [1]. Le bruit avait couru que, négligés longtemps, ils allaient être reconnus ; – ce qui venait d'avoir lieu à la suite d'un changement de ministère. Les fonds se trouvaient déjà cotés très haut ; je redevenais riche.

Une seule pensée résulta de ce changement de situation, celle que la femme aimée si longtemps était à moi si je voulais. – Je touchais du doigt mon idéal. N'était-ce pas une illusion encore, une faute d'impression railleuse ? Mais les autres feuilles parlaient de même. – La somme gagnée se dressa devant moi comme la statue d'or de Moloch [2]. « Que dirait maintenant, pensais-je, le jeune homme de tout à l'heure, si j'allais prendre sa place près de la femme qu'il a laissée seule ?... » Je frémis de cette pensée, et mon orgueil se révolta.

Non ! ce n'est pas ainsi, ce n'est pas à mon âge que l'on tue l'amour avec de l'or : je ne serai pas un corrupteur. D'ailleurs ceci est une idée d'un autre temps. Qui me dit aussi que cette femme soit vénale ? – Mon

---

1. Précisions imaginaires si l'on veut voir dans *Sylvie* une nouvelle autobiographique : Nerval fut couvert de dettes après la liquidation du *Monde dramatique* – qu'il ne dirigea qu'un an (1835-1836) –, et ne retrouva jamais la moindre opulence. En 1834, il dilapida très vite l'héritage de son grand-père, mais ne spécula jamais en Bourse sur des titres étrangers.

2. Dans la Bible, Moloch est un dieu auquel on sacrifiait des enfants. Il est souvent considéré comme une figure diabolique, ce que suggère la « tentation » de corruption qui traverse la pensée du narrateur.

regard parcourait vaguement le journal que je tenais encore, et j'y lus ces deux lignes : « *Fête du Bouquet provincial.* – Demain, les archers de Senlis doivent rendre le bouquet à ceux de Loisy [1]. » Ces mots, fort simples, réveillèrent en moi toute une nouvelle série d'impressions : c'était un souvenir de la province depuis longtemps oubliée, un écho lointain des fêtes naïves de la jeunesse. – Le cor et le tambour résonnaient au loin dans les hameaux et dans les bois ; les jeunes filles tressaient des guirlandes et assortissaient, en chantant, des bouquets ornés de rubans. – Un lourd chariot, traîné par des bœufs, recevait ces présents sur son passage, et nous, enfants de ces contrées, nous formions le cortège avec nos arcs et nos flèches, nous décorant du titre de chevaliers, – sans savoir alors que nous ne faisions que répéter d'âge en âge une fête druidique survivant aux monarchies et aux religions nouvelles [2].

---

1. Première apparition de Senlis et Loisy (Oise), deux décors essentiels de *Sylvie*, cités ici par la médiation d'une annonce de presse.

2. Loisy possédait, depuis 1837, une compagnie d'archers et un jeu d'arc, encore visible en 1970, et qui a laissé la place à un lotissement. Le déroulement de la fête du bouquet est, aujourd'hui encore, conforme aux détails donnés par Nerval ici et au début du chapitre IV, mais ces traditions ne remontent qu'au XIVe siècle. Le « phénomène de mémoire » qu'admirait Proust est ici déclenché par une lecture, non par une sensation.

II
Adrienne

Je regagnai mon lit et je ne pus y trouver le repos. Plongé dans une demi-somnolence, toute ma jeunesse repassait en mes souvenirs. Cet état, où l'esprit résiste encore aux bizarres combinaisons du songe, permet souvent de voir se presser en quelques minutes les tableaux les plus saillants d'une longue période de la vie.

Je me représentais un château du temps de Henri IV avec ses toits pointus couverts d'ardoises et sa face rougeâtre aux encoignures dentelées de pierres jaunies [1], une grande place verte encadrée d'ormes et de tilleuls, dont le soleil couchant perçait le feuillage de ses traits enflammés. Des jeunes filles dansaient en rond sur la pelouse en chantant de vieux airs transmis par leurs mères, et d'un français si naturellement pur, que l'on se sentait bien exister dans ce vieux pays du Valois, où, pendant plus de mille ans, a battu le cœur de la France [2].

---

1. Ce château rappelle celui du poème « Fantaisie » (1832) ; voir Dossier, p. 130-131.
2. Le Valois est une région naturelle située sur les départements actuels de l'Aisne et de l'Oise. Depuis le XIIIe siècle, le Valois est un comté, apanage du fils du roi. Les Valois règnent sur la France de 1328 (Charles de Valois et Philippe le Bel) à 1589 (Henri III). Nerval remonte plus loin dans le temps : sous les Carolingiens, autour de l'an 1000, le Valois était déjà un comté. Ces images du Valois sont récurrentes dans l'œuvre de Nerval (*Les Nuits d'octobre*, *Promenades et souvenirs*, etc.).

J'étais le seul garçon dans cette ronde, où j'avais amené ma compagne toute jeune encore, Sylvie, une petite fille du hameau voisin, si vive et si fraîche, avec ses yeux noirs, son profil régulier et sa peau légèrement hâlée !... Je n'aimais qu'elle, je ne voyais qu'elle, – jusque-là ! À peine avais-je remarqué, dans la ronde où nous dansions, une blonde [1], grande et belle, qu'on appelait Adrienne. Tout d'un coup, suivant les règles de la danse, Adrienne se trouva placée seule avec moi au milieu du cercle. Nos tailles étaient pareilles. On nous dit de nous embrasser, et la danse et le chœur tournaient plus vivement que jamais. En lui donnant ce baiser, je ne pus m'empêcher de lui presser la main. Les longs anneaux roulés de ses cheveux d'or effleuraient mes joues. De ce moment, un trouble inconnu s'empara de moi [2]. – La belle devait chanter pour avoir le droit de rentrer dans la danse. On s'assit autour d'elle, et aussitôt, d'une voix fraîche et pénétrante, légèrement voilée, comme celles des filles de ce pays brumeux, elle chanta une de ces anciennes romances pleines de mélancolie et d'amour, qui racontent toujours les malheurs d'une princesse enfermée dans sa tour par la volonté d'un père qui la punit d'avoir aimé [3]. La mélodie se terminait à

---

1. La « blonde aux yeux noirs » est un archétype féminin nervalien (voir encore le poème « Fantaisie », déjà cité).

2. Cette scène célèbre a-t-elle un fondement réel ? On a voulu la situer, malgré l'indication « près d'Orry » du chapitre XIII, au château de Mortefontaine, non sans vraisemblance, mais ce décor constitue une sorte d'obsession pour Nerval. La rencontre par les hasards de la danse sous les yeux de tous rappelle la rencontre de Mme de Clèves et de M. de Nemours dans *La Princesse de Clèves*.

3. La rencontre presque magique se produit sous l'égide du chant traditionnel : « Chaque fois que ma pensée se reporte aux souvenirs de cette province du Valois, je me rappelle avec ravissement les chants et les

chaque stance par ces trilles chevrotants que font valoir si bien les voix jeunes, quand elles imitent par un frisson modulé la voix tremblante des aïeules.

À mesure qu'elle chantait, l'ombre descendait des grands arbres, et le clair de lune naissant tombait sur elle seule, isolée de notre cercle attentif. – Elle se tut, et personne n'osa rompre le silence. La pelouse était couverte de faibles vapeurs condensées, qui déroulaient leurs blancs flocons sur les pointes des herbes. Nous pensions être en paradis [1]. – Je me levai enfin, courant au parterre du château, où se trouvaient des lauriers, plantés dans de grands vases de faïence peints en camaïeu. Je rapportai deux branches, qui furent tressées en couronne et nouées d'un ruban. Je posai sur la tête d'Adrienne cet ornement, dont les feuilles lustrées éclataient sur ses cheveux blonds aux rayons pâles de la lune. Elle ressemblait à la Béatrice de Dante qui sourit au poète errant sur la lisière des saintes demeures.

Adrienne se leva. Développant sa taille élancée, elle nous fit un salut gracieux, et rentra en courant dans le château. – C'était, nous dit-on, la petite-fille de l'un des descendants d'une famille alliée aux anciens rois de France ; le sang des Valois coulait dans ses veines [2].

---

récits qui ont bercé mon enfance », écrit Nerval *infra*, dans *Chansons et légendes du Valois* (p. 81).

1. La complainte de saint Nicolas se termine par une formule très proche : « Je croyais être en paradis ! » (voir *infra*, *Chansons et légendes du Valois*, p. 87).

2. On associe souvent Adrienne à Sophie Dawes, Mme Adrien de Feuchères, maîtresse du prince de Condé, qui habita le château de Mortefontaine à partir de 1827 ; de façon « extravagante », déclare pertinemment Pierre-Georges Castex : femme « imposante », aventurière suspecte, sans aucune ascendance aristocratique, de seize ans plus

Pour ce jour de fête, on lui avait permis de se mêler à nos jeux ; nous ne devions plus la revoir, car le lendemain elle repartit pour un couvent où elle était pensionnaire.

Quand je revins près de Sylvie, je m'aperçus qu'elle pleurait. La couronne donnée par mes mains à la belle chanteuse était le sujet de ses larmes. Je lui offris d'en aller cueillir une autre, mais elle dit qu'elle n'y tenait nullement, ne la méritant pas. Je voulus en vain me défendre, elle ne me dit plus un seul mot pendant que je la reconduisais chez ses parents.

Rappelé moi-même à Paris pour y reprendre mes études, j'emportai cette double image d'une amitié tendre tristement rompue, – puis d'un amour impossible et vague, source de pensées douloureuses que la philosophie de collège était impuissante à calmer.

La figure d'Adrienne resta seule triomphante, – mirage de la gloire et de la beauté, adoucissant ou partageant les heures des sévères études. Aux vacances de l'année suivante, j'appris que cette belle à peine entrevue était consacrée par sa famille à la vie religieuse.

âgée que Nerval, elle ne s'accorde guère avec le personnage éthéré d'Adrienne. Mieux vaut penser que Nerval a créé, à partir de figures rencontrées et admirées (peut-être Louise de Junquières, jeune châtelaine du Valois, Louise d'Orléans, d'autres encore ?), une figure idéale et doublement inaccessible, par sa naissance et par sa vocation religieuse. C'est l'idéal défini au chapitre I : « Il fallait qu'elle apparût reine ou déesse, et surtout n'en pas approcher. » Henri Lemaître suggère quant à lui une assimilation à Charlotte Dawes, sœur cadette de Sophie (voir Nerval, *Œuvres*, Classiques Garnier, 1986 [1re éd. 1966], p. 4 *sq.*).

III
Résolution

Tout m'était expliqué par ce souvenir à demi rêvé. Cet amour vague et sans espoir, conçu pour une femme de théâtre, qui tous les soirs me prenait à l'heure du spectacle, pour ne me quitter qu'à l'heure du sommeil, avait son germe dans le souvenir d'Adrienne, fleur de la nuit éclose à la pâle clarté de la lune, fantôme rose et blond glissant sur l'herbe verte à demi baignée de blanches vapeurs. – La ressemblance d'une figure oubliée depuis des années se dessinait désormais avec une netteté singulière ; c'était un crayon estompé par le temps qui se faisait peinture, comme ces vieux croquis de maîtres admirés dans un musée, dont on retrouve ailleurs l'original éblouissant.

Aimer une religieuse sous la forme d'une actrice !... et si c'était la même ! – Il y a de quoi devenir fou ! c'est un entraînement fatal où l'inconnu vous attire comme le feu follet fuyant sur les joncs d'une eau morte [1]... Reprenons pied sur le réel.

Et Sylvie que j'aimais tant, pourquoi l'ai-je oubliée depuis trois ans ?... C'était une bien jolie fille, et la plus belle de Loisy !

---

1. L'eau morte évoque Mortefontaine, village où Nerval a passé son enfance, mais qu'il ne cite pas dans *Sylvie*, l'auréolant ainsi d'un mystère sacré.

Elle existe, elle, bonne et pure de cœur sans doute. Je revois sa fenêtre où le pampre s'enlace au rosier, la cage de fauvettes suspendue à gauche ; j'entends le bruit de ses fuseaux sonores et sa chanson favorite :

La belle était assise
Près du ruisseau coulant…

Elle m'attend encore… Qui l'aurait épousée ? elle est si pauvre !

Dans son village et dans ceux qui l'entourent, de bons paysans en blouse, aux mains rudes, à la face amaigrie, au teint hâlé ! Elle m'aimait seul, moi le petit Parisien[1], quand j'allais voir près de Loisy mon pauvre oncle, mort aujourd'hui. Depuis trois ans, je dissipe en seigneur le bien modeste qu'il m'a laissé et qui pouvait suffire à ma vie. Avec Sylvie, je l'aurais conservé. Le hasard m'en rend une partie. Il est temps encore.

À cette heure, que fait-elle ? Elle dort… Non, elle ne dort pas ; c'est aujourd'hui la fête de l'arc, la seule de l'année où l'on danse toute la nuit. – Elle est à la fête…

Quelle heure est-il ?

Je n'avais pas de montre.

Au milieu de toutes les splendeurs de bric-à-brac qu'il était d'usage de réunir à cette époque pour restaurer dans sa couleur locale un appartement d'autrefois, brillait d'un éclat rafraîchi une de ces pendules d'écaille de la Renaissance, dont le dôme doré surmonté de la

---

1. L'expression apparaît déjà dans *Les Nuits d'octobre*, employée par Sylvain, ami du « narrateur Gérard ».

figure du Temps est supporté par des cariatides du style Médicis, reposant à leur tour sur des chevaux à demi cabrés. La Diane historique, accoudée sur son cerf, est en bas relief sous le cadran, où s'étalent sur un fond niellé [1] les chiffres émaillés des heures. Le mouvement, excellent sans doute, n'avait pas été remonté depuis deux siècles. – Ce n'était pas pour savoir l'heure que j'avais acheté cette pendule en Touraine.

Je descendis chez le concierge. Son coucou marquait une heure du matin [2]. – En quatre heures, me dis-je, je puis arriver au bal de Loisy. Il y avait encore sur la place du Palais-Royal cinq ou six fiacres stationnant pour les habitués des cercles et des maisons de jeu [3] : « À Loisy ! dis-je au plus apparent. – Où cela est-il ? – Près de Senlis, à huit lieues. – Je vais vous conduire à la poste », dit le cocher, moins préoccupé que moi.

Quelle triste route, la nuit, que cette route de Flandres, qui ne devient belle qu'en atteignant la zone des forêts ! Toujours ces deux files d'arbres monotones qui grimacent des formes vagues ; au-delà, des carrés de verdure et de terres remuées, bornés à gauche par les collines bleuâtres de Montmorency, d'Écouen, de Luzarches. Voici Gonesse, le bourg vulgaire plein des souvenirs de la Ligue et de la Fronde...

---

1. Incrustation noire dans une pièce de métal.

2. Au moment où les repères temporels se brouillent, insistance révélatrice sur les instruments qui mesurent le temps : absence de montre, pendule inutile et coucou du concierge, instrument un peu dérisoire par sa vulgarité (on le retrouvera au chapitre XII avec le père Dodu) et dont l'oiseau est de mauvais augure pour un projet de demande en mariage...

3. La référence aux maisons de jeu du Palais-Royal montre que Nerval situe cet épisode avant leur fermeture le 31 décembre 1836.

Plus loin que Louvres est un chemin bordé de pommiers dont j'ai vu bien des fois les fleurs éclater dans la nuit comme des étoiles de la terre : c'était le plus court pour gagner les hameaux. – Pendant que la voiture monte les côtes, recomposons les souvenirs du temps où j'y venais si souvent [1].

1. La traversée de la nuit à travers les lieux réels qui conduisent au Valois est teintée d'incertitude.

IV
Un voyage à Cythère [1]

Quelques années s'étaient écoulées [2] : l'époque où j'avais rencontré Adrienne devant le château n'était plus déjà qu'un souvenir d'enfance. Je me retrouvai à Loisy au moment de la fête patronale. J'allai de nouveau me joindre aux chevaliers de l'arc, prenant place dans la compagnie dont j'avais fait partie déjà. Des jeunes gens appartenant aux vieilles familles qui possèdent encore là plusieurs de ces châteaux perdus dans les forêts, qui ont plus souffert du temps que des révolutions, avaient organisé la fête. De Chantilly, de Compiègne et de Senlis accouraient de joyeuses cavalcades qui prenaient place dans le cortège rustique des compagnies de l'arc. Après la longue promenade à travers les villages et les bourgs, après la messe à l'église, les luttes d'adresse et la distribution des prix, les vainqueurs avaient été conviés à un repas qui se donnait dans une

1. Référence au tableau d'Antoine Watteau, *Le Pèlerinage à l'île de Cythère* (1717), exposé au Louvre. Watteau réalisa une copie de son propre tableau, intitulée *Un embarquement pour Cythère* (1718). La fortune littéraire de cette œuvre est grande au XIXe siècle : « Un voyage à Cythère » est le titre d'un des poèmes des *Fleurs du Mal* de Baudelaire ; « Cythère » est également le titre du douzième tableau des *Fêtes galantes* (1869) de Verlaine, qui évoque l'univers délicat de Watteau.
2. Indication imprécise qui brouille les repères temporels et introduit un nouveau souvenir non plus d'enfance, mais d'adolescence.

D'après Antoine Watteau (1684-1721), *Le Pèlerinage à l'île de Cythère*, 1718, gravure d'Alphonse-Alexandre Leroy, Lille, palais des Beaux-Arts. © RMN-Grand Palais/ Thierry Ollivier.

île ombragée de peupliers et de tilleuls, au milieu de l'un des étangs alimentés par la Nonette et la Thève. Des barques pavoisées nous conduisirent à l'île, – dont le choix avait été déterminé par l'existence d'un temple ovale à colonnes qui devait servir de salle pour le festin[1]. – Là, comme à Ermenonville[2], le pays est semé de ces édifices légers de la fin du dix-huitième siècle, où des millionnaires philosophes se sont inspirés dans leurs plans du goût dominant d'alors. Je crois bien que ce temple avait dû être primitivement dédié à Uranie. Trois colonnes avaient succombé emportant dans leur chute une partie de l'architrave ; mais on avait déblayé l'intérieur de la salle, suspendu des guirlandes entre les colonnes, on avait rajeuni cette ruine moderne, – qui appartenait au paganisme de Boufflers ou de Chaulieu plutôt qu'à celui d'Horace[3].

---

1. Le décor rappelle celui du parc de Vallière à Mortefontaine, mais l'île Molton, dans l'étang de l'Épine, ne possède aucun temple « à l'antique ». Nerval et ses amis du Doyenné avaient contribué à lancer une « mode Watteau » après 1830. Dans *Les Petits Châteaux de Bohême*, Nerval prétend avoir conservé le « Watteau de Vattier signé », du temps de l'impasse du Doyenné (voir Nerval, *Aurélia, et autres textes autobiographiques*, éd. Jacques Bony, GF-Flammarion, 1990, p. 131).

2. Ermenonville est marqué par le souvenir de Rousseau, qui y séjourna dans les dernières semaines de sa vie, du 20 mai au 2 juillet 1778. L'actuel parc Jean-Jacques-Rousseau, créé par le marquis de Girardin, qui accueillit Rousseau, abrite un tombeau sur l'île des Peupliers. C'est là que fut inhumé Jean-Jacques, le 4 juillet 1778. Mais les cendres du philosophe ne s'y trouvent plus, ayant été transférées au Panthéon en 1794. Malgré les aménagements, les lieux ont gardé un charme indicible.

3. Filleul du roi Stanislas de Pologne, le chevalier de Boufflers (1738-1815) était un poète français, connu pour ses pièces galantes. Guillaume Amfrye de Chaulieu (1639-1720) fut abbé et poète libertin, influencé

La traversée du lac avait été imaginée peut-être pour rappeler le *Voyage à Cythère* de Watteau [1]. Nos costumes modernes dérangeaient seuls l'illusion. L'immense bouquet de la fête, enlevé du char qui le portait, avait été placé sur une grande barque ; le cortège des jeunes filles vêtues de blanc qui l'accompagnent selon l'usage avait pris place sur les bancs, et cette gracieuse *théorie* [2] renouvelée des jours antiques se reflétait dans les eaux calmes de l'étang qui la séparait du bord de l'île si vermeil aux rayons du soir avec ses halliers d'épine, sa colonnade et ses clairs feuillages. Toutes les barques abordèrent en peu de temps. La corbeille portée en cérémonie occupa le centre de la table, et chacun prit place, les plus favorisés auprès des jeunes filles : il suffisait pour cela d'être connu de leurs parents. Ce fut la cause qui fit que je me retrouvai près de Sylvie. Son frère m'avait déjà rejoint dans la fête, il me fit la guerre de n'avoir pas depuis longtemps rendu visite à sa famille. Je m'excusai sur mes études, qui me retenaient à Paris, et l'assurai que j'étais venu dans cette intention. « Non, c'est moi qu'il a oubliée, dit Sylvie. Nous sommes des gens de village, et Paris est si au-dessus ! » Je voulus l'embrasser pour lui fermer la bouche ; mais elle me boudait encore, et il fallut que son frère intervînt pour qu'elle m'offrît sa joue d'un air indifférent. Je n'eus aucune

---

par l'épicurisme. Horace (65-8 av. J.-C.) est un poète latin, connu pour ses *Odes*, ses *Épîtres* et son *Art poétique.*

1. Voir *supra*, note 1, p. 25.
2. « Dans la Grèce antique, députation envoyée par les cités pour assister aux fêtes religieuses ou pour annoncer une fête ou une cérémonie et qui se déplaçait en procession solennelle » (*TLF*).

joie de ce baiser dont bien d'autres obtenaient la faveur, car dans ce pays patriarcal où l'on salue tout homme qui passe, un baiser n'est autre chose qu'une politesse entre bonnes gens.

Une surprise avait été arrangée par les ordonnateurs de la fête. À la fin du repas, on vit s'envoler du fond de la vaste corbeille un cygne sauvage, jusque-là captif sous les fleurs, qui de ses fortes ailes, soulevant des lacis de guirlandes et de couronnes, finit par les disperser de tous côtés [1]. Pendant qu'il s'élançait joyeux vers les dernières lueurs du soleil, nous rattrapions au hasard les couronnes, dont chacun parait aussitôt le front de sa voisine. J'eus le bonheur de saisir une des plus belles, et Sylvie souriante se laissa embrasser cette fois plus tendrement que l'autre. Je compris que j'effaçais ainsi le souvenir d'un autre temps. Je l'admirai cette fois sans partage, elle était devenue si belle ! Ce n'était plus cette petite fille de village que j'avais dédaignée pour une plus grande et plus faite aux grâces du monde. Tout en elle avait gagné : le charme de ses yeux noirs, si séduisants dès son enfance, était devenu irrésistible ; sous l'orbite arquée de ses sourcils, son sourire, éclairant tout à coup des traits réguliers et placides, avait quelque chose d'athénien. J'admirais

---

1. Une telle image du cygne dans un contexte de traditions et de légende est présente dans le chapitre « Chantilly » de *Promenades et souvenirs* : « Elle aimait les grottes perdues dans les bois, les ruines des vieux châteaux, les temples écroulés aux colonnes festonnées de lierre, le foyer des bûcherons, où elle chantait et racontait les vieilles légendes du pays ! – Mme de Montfort, prisonnière dans sa tour, qui tantôt s'envolait en cygne, et tantôt frétillait en beau poisson d'or dans les fossés de son château » (dans Nerval, *Aurélia, et autres textes autobiographiques*, éd. citée, p. 236).

cette physionomie digne de l'art antique au milieu des minois chiffonnés de ses compagnes. Ses mains délicatement allongées, ses bras qui avaient blanchi en s'arrondissant, sa taille dégagée, la faisaient tout autre que je ne l'avais vue. Je ne pus m'empêcher de lui dire combien je la trouvais différente d'elle-même, espérant couvrir ainsi mon ancienne et rapide infidélité.

Tout me favorisait d'ailleurs, l'amitié de son frère, l'impression charmante de cette fête, l'heure du soir et le lieu même où, par une fantaisie pleine de goût, on avait reproduit une image des galantes solennités d'autrefois. Tant que nous pouvions, nous échappions à la danse pour causer de nos souvenirs d'enfance et pour admirer en rêvant à deux les reflets du ciel sur les ombrages et sur les eaux. Il fallut que le frère de Sylvie nous arrachât à cette contemplation en disant qu'il était temps de retourner au village assez éloigné qu'habitaient ses parents.

V
Le village

C'était à Loisy, dans l'ancienne maison du garde. Je les conduisis jusque-là, puis je retournai à Montagny [1], où je demeurais chez mon oncle. En quittant le chemin pour traverser un petit bois qui sépare Loisy de Saint-S… [2], je ne tardai pas à m'engager dans une *sente* profonde qui longe la forêt d'Ermenonville ; je m'attendais ensuite à rencontrer les murs d'un couvent qu'il fallait suivre pendant un quart de lieue. La lune se cachait de temps à autre sous les nuages, éclairant à peine les roches de grès sombre et les bruyères qui se multipliaient sous mes pas. À droite et à gauche, des lisières de forêts sans routes tracées, et toujours devant moi ces roches druidiques de la contrée qui gardent le souvenir des fils d'Armen [3] exterminés par les

1. Le nom de ce village, situé trop à l'est d'Ermenonville pour concorder avec les indications données, dissimule sans doute Mortefontaine où habitait le grand-oncle de Nerval. Les paysages dépeints ensuite sont tout à fait conformes à la réalité. Le couvent de Saint-Sulpice-du-Désert, proche de Loisy, n'abritait plus de religieux depuis 1778.

2. Saint-Sulpice-de-la-Ramée, où se trouvaient les ruines d'un ancien château.

3. Dans *Angélique*, Nerval associe les habitants d'Ermenonville à « Erman ou Armen » ; une note de Nerval précise « Hermann, Arminius, ou peut-être Hermès » (voir *Les Filles du Feu*, éd. Jacques Bony, GF-Flammarion, 1994, p. 152). Armen est la forme francisée du chef de guerre germain Arminius (16 av. J.-C.-21 apr. J.-C.), qui défit l'armée

Romains ! Du haut de ces entassements sublimes, je voyais les étangs lointains se découper comme des miroirs sur la plaine brumeuse, sans pouvoir distinguer celui même où s'était passée la fête.

L'air était tiède et embaumé ; je résolus de ne pas aller plus loin et d'attendre le matin, en me couchant sur des touffes de bruyères. – En me réveillant, je reconnus peu à peu les points voisins du lieu où je m'étais égaré dans la nuit. À ma gauche, je vis se dessiner la longue ligne des murs du couvent de Saint-S..., puis de l'autre côté de la vallée, la butte aux Gens-d'Armes [1], avec les ruines ébréchées de l'antique résidence carlovingienne [2]. Près de là, au-dessus des touffes de bois, les hautes masures de l'abbaye de Thiers découpaient sur l'horizon leurs pans de muraille percés de trèfles et d'ogives. Au-delà, le manoir gothique de Pontarmé [3], entouré d'eau comme autrefois, refléta bientôt les premiers feux du jour, tandis qu'on voyait se dresser au midi le haut donjon de la Tournelle et les quatre tours de Bertrand-Fosse sur les premiers coteaux de Montméliant [4].

---

romaine en 9 apr. J.-C. lors de la bataille de Teutobourg. L'armée romaine prit ensuite sa revanche.

1. La butte aux Gens-d'Armes se trouve dans l'actuelle forêt de Chantilly et culmine à 103 mètres.

2. Forme orthographique vieillie de « carolingienne ».

3. Lieu évoqué dans *Promenades et souvenirs*, dans *Aurélia, et autres textes autobiographiques*, éd. citée, p. 239.

4. Tous ces lieux existent et se trouvent au sud de Senlis, à l'ouest d'Ermenonville. Le manoir de Bertrandfosse, construit au XVe siècle, présentait deux tours sur sa façade. Quant au fief de Montmélian, il fut érigé en marquisat au milieu du XVIIe siècle. La butte de Montmélian occupe une situation géographique symbolique : elle sépare le Valois du pays de France. En revanche, la reconstitution n'est pas

Cette nuit m'avait été douce, et je ne songeais qu'à Sylvie ; cependant l'aspect du couvent me donna un instant l'idée que c'était celui peut-être qu'habitait Adrienne. Le tintement de la cloche du matin était encore dans mon oreille et m'avait sans doute réveillé. J'eus un instant l'idée de jeter un coup d'œil par-dessus les murs en gravissant la plus haute pointe des rochers ; mais en y réfléchissant, je m'en gardai comme d'une profanation. Le jour en grandissant chassa de ma pensée ce vain souvenir et n'y laissa plus que les traits rosés de Sylvie. « Allons la réveiller », me dis-je, et je repris le chemin de Loisy.

Voici le village au bout de la sente qui côtoie la forêt : vingt chaumières dont la vigne et les roses grimpantes festonnent les murs. Des fileuses matinales, coiffées de mouchoirs rouges, travaillent réunies devant une ferme. Sylvie n'est point avec elles. C'est presque une demoiselle depuis qu'elle exécute de fines dentelles, tandis que ses parents sont restés de bons villageois [1]. – Je suis monté à sa chambre sans étonner personne ; déjà levée depuis longtemps, elle agitait les fuseaux de sa dentelle, qui claquaient avec un doux bruit sur le carreau [2] vert que soutenaient ses genoux.

---

réaliste, car il est impossible pour le narrateur d'embrasser dans le même regard tous ces éléments du paysage.

1. Après la transformation physique de Sylvie au chapitre précédent, voici l'ascension sociale, seconde infidélité à l'image de la petite paysanne.

2. Terme technique ancien. Le carreau désigne le métier en forme de coussin sur lequel les dentellières posaient leurs fuseaux. Les fabriques de dentelles de Chantilly, auxquelles il est fait allusion au chapitre suivant, employaient beaucoup de travailleuses à domicile autour de 1830, mais la production ne cessa de baisser. Notons que le carreau et le fuseau sont aussi des objets du conte de fées.

« Vous voilà, paresseux, dit-elle avec son sourire divin, je suis sûre que vous sortez seulement de votre lit ! » Je lui racontai ma nuit passée sans sommeil, mes courses égarées à travers les bois et les roches. Elle voulut bien me plaindre un instant. « Si vous n'êtes pas fatigué, je vais vous faire courir encore. Nous irons voir ma grand-tante à Othys[1]. » J'avais à peine répondu qu'elle se leva joyeusement, arrangea ses cheveux devant un miroir et se coiffa d'un chapeau de paille rustique. L'innocence et la joie éclataient dans ses yeux. Nous partîmes en suivant les bords de la Thève à travers les prés semés de marguerites et de boutons d'or, puis le long des bois de Saint-Laurent, franchissant parfois les ruisseaux et les halliers pour abréger la route[2]. Les merles sifflaient dans les arbres, et les mésanges s'échappaient joyeusement des buissons frôlés par notre marche.

Parfois nous rencontrions sous nos pas les pervenches si chères à Rousseau[3], ouvrant leurs corolles bleues parmi ces longs rameaux de feuilles accouplées, lianes modestes qui arrêtaient les pieds furtifs de ma

1. Othis, selon l'orthographe actuelle, est une commune qui se situe en Seine-et-Marne, non loin de Mortefontaine et du parc Jean-Jacques-Rousseau.

2. L'assèchement de cette zone marécageuse a modifié le paysage : la Thève, qui prenait alors sa source au sud de Loisy, surgit aujourd'hui à Saint-Sulpice.

3. Jean-Jacques Rousseau a laissé de très beaux herbiers, où il collectait des fleurs cueillies durant ses promenades. La pervenche mettait Rousseau en émoi. Cette fleur lui rappelait en effet ses promenades avec Mme de Warens (voir *Les Confessions*, VI). Dans le langage des fleurs, la pervenche évoque la mélancolie. Dans certaines cérémonies funéraires, on l'appelait la « violette des morts » et on la tressait en couronnes.

Jean-Jacques Rousseau (1712-1778) herborisant dans le parc d'Ermenonville, gravure, BNF. © Albert Harlingue/ Roger-Viollet.

compagne. Indifférente aux souvenirs du philosophe genevois, elle cherchait çà et là les fraises parfumées, et moi, je lui parlais de *La Nouvelle Héloïse*, dont je récitais par cœur quelques passages [1]. « Est-ce que c'est joli ? dit-elle. – C'est sublime. – Est-ce mieux qu'Auguste Lafontaine [2] ? – C'est plus tendre. – Oh ! bien, dit-elle, il faut que je lise cela. Je dirai à mon frère de me l'apporter la première fois qu'il ira à Senlis. » Et je continuais à réciter des fragments de l'*Héloïse* pendant que Sylvie cueillait des fraises.

---

1. *Julie, ou la Nouvelle Héloïse* est un roman épistolaire de Rousseau publié en 1761. L'histoire, comme celle de *Sylvie*, est celle d'un renoncement et d'une résignation. Le roman a eu une influence prégnante sur Nerval, comme sur de nombreux romantiques.

2. Prolifique romancier populaire allemand (1759-1831). La pièce à succès d'Eugène Scribe, *Valérie* (1822), est adaptée d'un roman de Lafontaine, qui excellait dans les tableaux familiaux empreints de sensibilité.

VI
Othys

Au sortir du bois, nous rencontrâmes de grandes touffes de digitale pourprée[1] ; elle en fit un énorme bouquet en me disant : « C'est pour ma tante ; elle sera si heureuse d'avoir ces belles fleurs dans sa chambre. » Nous n'avions plus qu'un bout de plaine à traverser pour gagner Othys. Le clocher du village pointait sur les coteaux bleuâtres qui vont de Montméliant à Dammartin. La Thève bruissait de nouveau parmi les grès et les cailloux, s'amincissant au voisinage de sa source, où elle se repose dans les prés, formant un petit lac au milieu des glaïeuls et des iris. Bientôt nous gagnâmes les premières maisons. La tante de Sylvie habitait une petite chaumière bâtie en pierres de grès inégales que revêtaient des treillages de houblon et de vigne-vierge ; elle vivait seule de quelques carrés de terre que les gens du village cultivaient pour elle depuis la mort de son mari. Sa nièce arrivant, c'était le feu dans la maison. « Bonjour, la

1. Doit-on prêter attention au fait que la digitale est une fleur particulièrement toxique ? Selon certaines superstitions chrétiennes, la digitale pourprée se rattache à la Vierge Marie, qui aurait soigné le Christ avec cette fleur (ce qui explique l'appellation « doigt de la Vierge »). La digitale est une fleur ambiguë qui peut empoisonner ou guérir, selon l'utilisation qu'on en fait.

tante ! Voici vos enfants ! dit Sylvie ; nous avons bien faim ! » Elle l'embrassa tendrement, lui mit dans les bras la botte de fleurs, puis songea enfin à me présenter, en disant : « C'est mon amoureux ! »

J'embrassai à mon tour la tante, qui dit : « Il est gentil… C'est donc un blond !… – Il a de jolis cheveux fins, dit Sylvie. – Cela ne dure pas, dit la tante ; mais vous avez du temps devant vous, et toi qui es brune, cela t'assortit bien. – Il faut le faire déjeuner, la tante », dit Sylvie. Et elle alla cherchant dans les armoires, dans la huche, trouvant du lait, du pain bis, du sucre, étalant sans trop de soin sur la table les assiettes et les plats de faïence émaillés de larges fleurs et de coqs au vif plumage. Une jatte en porcelaine de Creil, pleine de lait, où nageaient les fraises, devint le centre du service, et après avoir dépouillé le jardin de quelques poignées de cerises et de groseilles, elle disposa deux vases de fleurs aux deux bouts de la nappe. Mais la tante avait dit ces belles paroles : « Tout cela, ce n'est que du dessert. Il faut me laisser faire à présent. » Et elle avait décroché la poêle et jeté un fagot dans la haute cheminée. « Je ne veux pas que tu touches à cela ! dit-elle à Sylvie, qui voulait l'aider ; abîmer tes jolis doigts qui font de la dentelle plus belle qu'à Chantilly [1] ! tu m'en as donné, et je m'y connais. – Ah ! oui, la tante !… Dites donc, si vous en avez, des morceaux de l'ancienne, cela me fera des modèles. – Eh bien ! va voir là-haut, dit la tante, il y en a peut-être dans ma commode. – Donnez-moi les clefs, reprit Sylvie. – Bah ! dit la tante, les tiroirs sont ouverts. – Ce

1. Voir *supra*, note 2, p. 33.

n'est pas vrai, il y en a un qui est toujours fermé. » Et pendant que la bonne femme nettoyait la poêle après l'avoir passée au feu, Sylvie dénouait des pendants de sa ceinture une petite clef d'un acier ouvragé qu'elle me fit voir avec triomphe.

Je la suivis, montant rapidement l'escalier de bois qui conduisait à la chambre. – Ô jeunesse, ô vieillesse saintes ! – qui donc eût songé à ternir la pureté d'un premier amour dans ce sanctuaire des souvenirs fidèles ? Le portrait d'un jeune homme du bon vieux temps souriait avec ses yeux noirs et sa bouche rose, dans un ovale au cadre doré, suspendu à la tête du lit rustique. Il portait l'uniforme des gardes-chasse de la maison de Condé ; son attitude à demi martiale, sa figure rose et bienveillante, son front pur sous ses cheveux poudrés relevaient ce pastel, médiocre peut-être, des grâces de la jeunesse et de la simplicité. Quelque artiste modeste invité aux chasses princières s'était appliqué à le portraire de son mieux, ainsi que sa jeune épouse, qu'on voyait dans un autre médaillon, attrayante, maligne, élancée dans son corsage ouvert à échelle de rubans, agaçant de sa mine retroussée un oiseau posé sur son doigt. C'était pourtant la même bonne vieille [1] qui cuisinait en ce moment, courbée sur le feu de l'âtre. Cela me fit penser aux fées des Funambules [2] qui cachent, sous leur masque ridé, un visage attrayant, qu'elles révèlent au dénouement, lorsque

---

1. Présage alarmant et qui illustre, au cœur de l'idylle, les effets destructeurs du temps qui vont s'abattre sur le jeune couple.
2. Situé sur le boulevard du Temple à Paris, le théâtre des Funambules représentait des pantomimes et des féeries, genres très en vogue durant la première moitié du XIXe siècle.

apparaît le temple de l'Amour et son soleil tournant qui rayonne de feux magiques. « Ô bonne tante, m'écriai-je, que vous étiez jolie ! – Et moi donc ? » dit Sylvie, qui était parvenue à ouvrir le fameux tiroir. Elle y avait trouvé une grande robe en taffetas flambé, qui criait du froissement de ses plis. « Je veux essayer si cela m'ira, dit-elle. Ah ! je vais avoir l'air d'une vieille fée ! »

« La fée des légendes éternellement jeune !... » dis-je en moi-même. – Et déjà Sylvie avait dégrafé sa robe d'indienne [1] et la laissait tomber à ses pieds. La robe étoffée de la vieille tante s'ajusta parfaitement sur la taille mince de Sylvie, qui me dit de l'agrafer. « Oh ! les manches plates, que c'est ridicule ! » dit-elle. Et cependant les sabots [2] garnis de dentelles découvraient admirablement ses bras nus, la gorge s'encadrait dans le pur corsage aux tulles jaunis, aux rubans passés, qui n'avait serré que bien peu les charmes évanouis de la tante. « Mais finissez-en ! Vous ne savez donc pas agrafer une robe ? » me disait Sylvie. Elle avait l'air de l'accordée de village de Greuze [3]. « Il faudrait de la poudre, dis-je. – Nous allons en trouver. » Elle fureta de nouveau dans les tiroirs. Oh ! que de richesses ! que cela sentait bon, comme cela brillait, comme cela chatoyait de vives couleurs et de modeste clinquant ! deux éventails de nacre un peu cassés, des boîtes de pâte à sujets chinois, un collier d'ambre et mille fanfreluches,

---

1. Toile de coton imprimé.
2. Manches courtes et évasées, à la mode au XVIIIe siècle.
3. Tableau de Jean-Baptiste Greuze (1725-1805), exposé au Salon de 1761. L'« accordée » désigne la jeune fille engagée par son père pour un contrat de mariage.

Jean-Baptiste Greuze (1725-1805), *L'Accordée de village*, vers 1761, Petit Palais, musée des Beaux-Arts de la Ville de Paris. © Petit Palais/ Roger-Viollet.

parmi lesquelles éclataient deux petits souliers de droguet [1] blanc avec des boucles incrustées de diamants d'Irlande [2] ! « Oh ! je veux les mettre, dit Sylvie, si je trouve les bas brodés ! »

Un instant après, nous déroulions des bas de soie rose tendre à coins verts ; mais la voix de la tante, accompagnée du frémissement de la poêle, nous rappela soudain à la réalité. « Descendez vite ! » dit Sylvie, et quoi que je pusse dire, elle ne me permit pas de l'aider à se chausser. Cependant la tante venait de verser dans un plat le contenu de la poêle, une tranche de lard frite avec des œufs. La voix de Sylvie me rappela bientôt. « Habillez-vous vite ! » dit-elle, et entièrement vêtue elle-même, elle me montra les habits de noces du garde-chasse réunis sur la commode. En un instant, je me transformai en marié de l'autre siècle. Sylvie m'attendait sur l'escalier, et nous descendîmes tous deux en nous tenant par la main. La tante poussa un cri en se retournant : « Ô mes enfants ! » dit-elle, et elle se mit à pleurer, puis sourit à travers ses larmes. – C'était l'image de sa jeunesse, – cruelle et charmante apparition ! Nous nous assîmes auprès d'elle, attendris et presque graves, puis la gaieté nous revint bientôt, car, le premier moment passé, la bonne vieille ne songea plus qu'à se rappeler les fêtes pompeuses de sa noce. Elle retrouva même dans sa mémoire les chants alternés, d'usage alors, qui se répondaient d'un bout à

---

1. Le droguet est une étoffe ornée de dessins.
2. Le diamant d'Irlande désigne une variété de quartz qui rappelle l'éclat du diamant.

l'autre de la table nuptiale, et le naïf épithalame [1] qui accompagnait les mariés rentrant après la danse [2]. Nous répétions ces strophes si simplement rythmées, avec les hiatus et les assonances du temps ; amoureuses et fleuries comme le cantique de l'Ecclésiaste [3] ; – nous étions l'époux et l'épouse pour tout un beau matin d'été.

---

1. « Poème ou chant composé à l'occasion d'un mariage pour célébrer les nouveaux mariés » (*TLF*).

2. La scène du mariage d'enfants revient à plusieurs reprises dans l'œuvre de Nerval (voir par exemple *Promenades et souvenirs*, V, et *Aurélia, et autres textes autobiographiques*, éd. citée, p. 229). On a remarqué depuis longtemps la similitude de cette matinée avec Sylvie et de la « journée des cerises » des *Confessions* de Rousseau. Le souvenir « réel » semble lié plutôt aux cousines de Saint-Germain (voir *ibid.*, p. 241-242) qu'au Valois.

3. Allusion au Cantique des cantiques, livre biblique attribué à Salomon. « L'Ecclésiaste » (littéralement « celui qui parle aux foules »), auteur anonyme du livre qui porte ce nom, se dit roi d'Israël et fils de David, et est donc fréquemment identifié à Salomon. Le Cantique des cantiques se compose d'une suite de chants d'amour alternés entre un homme et une femme (« l'époux » et « l'épouse »), dont l'hermétisme autorise de nombreuses interprétations, à la fois sensuelles et mystiques.

VII
Châalis

Il est quatre heures du matin ; la route plonge dans un pli de terrain ; elle remonte. La voiture va passer à Orry, puis à La Chapelle [1]. À gauche, il y a une route qui longe le bois d'Halatte [2]. – C'est par là qu'un soir le frère de Sylvie m'a conduit dans sa carriole à une solennité du pays [3]. C'était, je crois, le soir de la Saint-Barthélemy [4]. À travers les bois, par des routes peu frayées, son petit cheval volait comme au sabbat. Nous

---

1. Aujourd'hui Orry-la-Ville et La Chapelle-en-Serval (dans l'Oise).
2. Nouveau phénomène de disparate cartographique. La forêt d'Halatte ne se trouve pas sur le trajet des villes précédemment citées, mais sur la route entre Creil et Senlis. En revanche, Nerval fait preuve d'exactitude quand il s'agit de domaines de chasse. Cette forêt appartenait au très vaste domaine de chasse du Grand Condé, qui s'étendait de la forêt d'Halatte à La Chapelle-en-Serval.
3. Précisions satisfaisantes pour le temps (la malle-poste parcourt en moyenne 12 kilomètres par heure), beaucoup moins pour la topographie, peu explicable au regard de la carte.
4. La Saint-Barthélemy se fête le 24 août. Sur le plan historique, la connotation est macabre. La Saint-Barthélemy désigne en effet le massacre du 24 août 1572, durant lequel de nombreux protestants furent tués. Pendant longtemps, on a attribué la responsabilité des massacres à Catherine de Médicis et à son fils Charles IX. Or, dès le matin du 24 août, le jeune roi avait sommé les chefs catholiques de mettre fin aux exactions, sans être obéi. Le film de Patrice Chéreau, *La Reine Margot*, adapté du roman de Dumas, met magistralement en scène l'impuissance de Charles IX face à cette « tuerie ».

Abbaye de Châalis en ruines. Fontaine-Châalis (Oise), photographie de René Giton, dit René-Jacques (1908-2003), bibliothèque historique de la Ville de Paris. © René-Jacques/ BHVP/ Roger-Viollet.

rattrapâmes le pavé à Mont-Lévêque, et quelques minutes plus tard nous nous arrêtions à la maison du garde, à l'ancienne abbaye de Châalis[1]. – Châalis, encore un souvenir !

Cette vieille retraite des empereurs n'offre plus à l'admiration que les ruines de son cloître aux arcades byzantines, dont la dernière rangée se découpe encore sur les étangs, – reste oublié des fondations pieuses comprises parmi ces domaines qu'on appelait autrefois les métairies de Charlemagne. La religion, dans ce pays isolé du mouvement des routes et des villes, a conservé des traces particulières du long séjour qu'y ont fait les cardinaux de la maison d'Este[2] à l'époque des Médicis : ses attributs et ses usages ont encore quelque chose de galant et de poétique, et l'on respire un parfum de la Renaissance sous les arcs des chapelles à fines nervures, décorées par les artistes de l'Italie. Les figures des saints et des anges se profilent en rose sur les voûtes peintes d'un bleu tendre, avec des airs d'allégorie païenne qui font songer aux

---

1. Fondée en 1136 par Louis VI, restaurée durant la Renaissance, l'abbaye de Châalis rassemble le souvenir des Carolingiens et des Médicis, famille liée aux Valois depuis le mariage de Catherine de Médicis avec Henri II. C'est un lieu essentiel de l'imaginaire nervalien. Aujourd'hui, l'abbaye de Châalis accueille une roseraie parmi ses ruines, ainsi qu'une antenne du musée Jacquemart-André.

2. La famille princière d'Este, alliée à celle des Médicis, joua un rôle considérable durant la Renaissance, notamment sur le plan artistique. Dans *Lucrèce Borgia* (1833), Hugo met en scène le duc Alphonse d'Este, qui établit la glorieuse généalogie de sa famille. Le fils de Lucrèce Borgia et du duc d'Este, Hippolyte d'Este (créateur des jardins de la villa d'Este), fut nommé abbé commendataire de Châalis par François Ier et favorisa la restauration des lieux.

sentimentalités de Pétrarque[1] et au mysticisme fabuleux de Francesco Colonna[2].

Nous étions des intrus, le frère de Sylvie et moi, dans la fête particulière qui avait lieu cette nuit-là. Une personne de très illustre naissance, qui possédait alors ce domaine, avait eu l'idée d'inviter quelques familles du pays à une sorte de représentation allégorique où devaient figurer quelques pensionnaires d'un couvent voisin. Ce n'était pas une réminiscence des tragédies de Saint-Cyr[3], cela remontait aux premiers essais lyriques importés en France du temps des Valois. Ce que je vis jouer était comme un mystère[4] des anciens temps. Les costumes, composés de longues robes, n'étaient variés que par les couleurs de l'azur, de

---

1. Poète italien (1304-1374), qui célébra sa bien-aimée, Laure de Noves, dans des sonnets raffinés.

2. Moine dominicain (1433-1527) issu d'une famille noble, auquel on attribue *Le Songe de Poliphile* (1499), ouvrage érudit comptant cent quatre-vingt-huit planches et qui comporte des symboles ésotériques et maçonniques. Le narrateur du *Songe* et Polia, une religieuse, se rendent dans différents lieux, notamment à Cythère, temple de Vénus. Colonna hante l'œuvre de Nerval, en particulier *Le Voyage en Orient*. Nodier a écrit une nouvelle s'inspirant de cette légende, *Franciscus Columna* (posth. 1844).

3. En 1684, Mme de Maintenon fonda un pensionnat destiné aux jeunes filles pauvres de bonne naissance. Les demoiselles de Saint-Cyr y apprenaient les humanités, mais aussi la danse, la musique et le théâtre. On jouait à Saint-Cyr des œuvres didactiques, notamment des tragédies et des proverbes. C'est pour les demoiselles de Saint-Cyr que Racine écrivit ses deux dernières tragédies, *Esther* (1689) et *Athalie* (1691).

4. Le mystère est un genre théâtral pratiqué au Moyen Âge, joué lors de fêtes religieuses. Souvent représenté sur le parvis des cathédrales, il met en scène la vie du Christ ou des saints, en recourant à des effets spectaculaires. Mêlant réalisme et merveilleux, les mystères étaient joués par des confréries d'amateurs.

l'hyacinthe [1] ou de l'aurore. La scène se passait entre les anges, sur les débris du monde détruit. Chaque voix chantait une des splendeurs de ce globe éteint, et l'ange de la mort définissait les causes de sa destruction. Un esprit montait de l'abîme, tenant en main l'épée flamboyante, et convoquait les autres à venir admirer la gloire du Christ vainqueur des enfers [2]. Cet esprit, c'était Adrienne transfigurée par son costume, comme elle l'était déjà par sa vocation. Le nimbe de carton doré qui ceignait sa tête angélique nous paraissait bien naturellement un cercle de lumière ; sa voix avait gagné en force et en étendue, et les fioritures infinies du chant italien brodaient de leurs gazouillements d'oiseau les phrases sévères d'un récitatif pompeux.

En me retraçant ces détails, j'en suis à me demander s'ils sont réels, ou bien si je les ai rêvés. Le frère de Sylvie était un peu gris ce soir-là. Nous nous étions arrêtés quelques instants dans la maison du garde, – où, ce qui m'a frappé beaucoup, il y avait un cygne [3]

---

1. L'hyacinthe désigne une couleur bleu-violet.

2. L'allégorie désigne-t-elle ici l'archange saint Michel qui brandit l'attribut de l'épée flamboyante ? Saint Michel est associé à cette réplique du *Lorenzaccio* de Musset : « Quand j'entrerai dans cette chambre, et que je voudrai tirer mon épée du fourreau, j'ai peur de tirer l'épée flamboyante de l'archange, et de tomber en cendres sur ma proie » (IV, 3). Signalons qu'en 1851 Nerval a vécu rue Saint-Hyacinthe-Saint-Michel, à Paris, appelée aujourd'hui rue Saint-Hyacinthe, dans le 1er arrondissement.

3. Nouvelle apparition du cygne, cette fois plutôt macabre ; voir *supra*, note 1, p. 29. Ce cygne aux ailes ouvertes n'est pas sans rappeler le symbole christique du pélican. Rappelons que le cygne est aussi un symbole alchimique et maçonnique. L'image fait également penser à l'ange exterminateur qui épargnait les maisons marquées, et surtout à diverses coutumes paysannes d'ordre magique pour se protéger des nuisibles ; par exemple, « clouer une chouette » sur la porte préserve du mauvais sort.

éployé sur la porte, puis au-dedans de hautes armoires en noyer sculpté, une grande horloge dans sa gaine, et des trophées d'arcs et de flèches d'honneur au-dessus d'une carte de tir rouge et verte. Un nain bizarre, coiffé d'un bonnet chinois, tenant d'une main une bouteille et de l'autre une bague, semblait inviter les tireurs à viser juste. Ce nain, je le crois bien, était en tôle découpée. Mais l'apparition d'Adrienne est-elle aussi vraie que ces détails [1] et que l'existence incontestable de l'abbaye de Châalis ? Pourtant c'est bien le fils du garde qui nous avait introduits dans la salle où avait lieu la représentation ; nous étions près de la porte, derrière une nombreuse compagnie assise et gravement émue. C'était le jour de la Saint-Barthélemy, – singulièrement lié au souvenir des Médicis, dont les armes accolées à celles de la maison d'Este décoraient ces vieilles murailles... Ce souvenir est une obsession peut-être ! – Heureusement voici la voiture qui s'arrête sur la route du Plessis [2] ; j'échappe au monde des rêveries, et je n'ai plus qu'un quart d'heure de marche pour gagner Loisy par des routes bien peu frayées.

---

1. On remarquera que le « nain bizarre » est une sorte de caricature d'Adrienne ; Nerval s'emploie à instiller le doute sur la réalité de cette apparition, comme il l'avait fait au chapitre III par l'expression « souvenir à demi rêvé ». L'existence d'Adrienne est-elle « incontestable » ? Au chapitre III, le narrateur disait de Sylvie : « Elle existe, elle ».

2. S'il s'agit du Plessis-Belleville, près d'Ermenonville, l'itinéraire de la voiture est surprenant, sauf si l'on admet que le narrateur a souhaité emprunter exprès cette route.

VIII

Le bal de Loisy

Je suis entré au bal de Loisy à cette heure mélancolique et douce encore où les lumières pâlissent et tremblent aux approches du jour. Les tilleuls, assombris par en bas, prenaient à leurs cimes une teinte bleuâtre. La flûte champêtre ne luttait plus si vivement avec les trilles du rossignol. Tout le monde était pâle, et dans les groupes dégarnis j'eus peine à rencontrer des figures connues. Enfin j'aperçus la grande Lise, une amie de Sylvie. Elle m'embrassa. « Il y a longtemps qu'on ne t'a vu, Parisien ! dit-elle. – Oh ! oui, longtemps. – Et tu arrives à cette heure-ci ? – Par la poste. – Et pas trop vite ! – Je voulais voir Sylvie ; est-elle encore au bal ? – Elle ne sort qu'au matin ; elle aime tant à danser. »

En un instant, j'étais à ses côtés. Sa figure était fatiguée ; cependant son œil noir brillait toujours du sourire athénien d'autrefois. Un jeune homme se tenait près d'elle. Elle lui fit signe qu'elle renonçait à la contredanse suivante. Il se retira en saluant.

Le jour commençait à se faire. Nous sortîmes du bal, nous tenant par la main. Les fleurs de la chevelure de Sylvie se penchaient dans ses cheveux dénoués ; le bouquet de son corsage s'effeuillait aussi sur les dentelles fripées, savant ouvrage de sa main [1]. Je lui offris de l'accompagner chez elle. Il faisait grand jour, mais le temps était sombre. La Thève bruissait à notre gauche, laissant à ses coudes des remous d'eau stagnante où s'épanouissaient les nénuphars jaunes et blancs, où éclatait comme des pâquerettes la frêle broderie des étoiles d'eau. Les plaines étaient couvertes de javelles et de meules de foin, dont l'odeur me portait à la tête sans m'enivrer, comme faisait autrefois la fraîche senteur des bois et des halliers d'épines fleuries.

Nous n'eûmes pas l'idée de les traverser de nouveau. « Sylvie, lui dis-je, vous ne m'aimez plus ! » – Elle soupira. « Mon ami, me dit-elle, il faut se faire une raison ; les choses ne vont pas comme nous voulons dans la vie. Vous m'avez parlé autrefois de *La Nouvelle Héloïse*, je l'ai lue, et j'ai frémi en tombant d'abord sur cette phrase : "Toute jeune fille qui lira ce livre est perdue [2]." Cependant j'ai passé outre, me fiant sur ma raison. Vous souvenez-vous du jour où nous avons revêtu les habits de noces de la tante ?... Les gravures

---

1. Tout le vocabulaire de cette scène dénote la fatigue, l'usure, la dégradation d'un monde où le narrateur a « peine à rencontrer des figures connues ». À son tour, le paysage va s'associer à la débâcle des souvenirs, l'évocation du paysage d'autrefois intervenant alors qu'il a disparu, selon un procédé qu'on trouvera tout au long des chapitres suivants.

2. Citation approximative, mais idée exacte. En effet, la préface de *La Nouvelle Héloïse* propose la formule suivante : « Jamais fille chaste n'a lu de romans, et j'ai mis à celui-ci un titre assez décidé pour qu'en l'ouvrant on sût à quoi s'en tenir. Celle qui, malgré ce titre, en osera lire une seule page est une fille perdue ; mais qu'elle n'impute point sa perte à ce livre, le mal était fait d'avance. Puisqu'elle a commencé, qu'elle achève de lire : elle n'a plus rien à risquer » (Rousseau, *Julie, ou la Nouvelle Héloïse*, éd. Michel Launay, GF-Flammarion, 1967, p. 4).

du livre présentaient aussi les amoureux sous de vieux costumes du temps passé, de sorte que pour moi vous étiez Saint-Preux, et je me retrouvais dans Julie. Ah ! que n'êtes-vous revenu alors ! Mais vous étiez, disait-on, en Italie. Vous en avez vu là de bien plus jolies que moi ! – Aucune, Sylvie, qui ait votre regard et les traits purs de votre visage. Vous êtes une nymphe antique qui vous ignorez. D'ailleurs les bois de cette contrée sont aussi beaux que ceux de la campagne romaine. Il y a là-bas des masses de granit non moins sublimes, et une cascade qui tombe du haut des rochers comme celle de Terni [1]. Je n'ai rien vu là-bas que je puisse regretter ici. – Et à Paris ? dit-elle. – À Paris... »

Je secouai la tête sans répondre.

Tout à coup je pensai à l'image vaine qui m'avait égaré si longtemps.

« Sylvie, dis-je, arrêtons-nous ici, le voulez-vous ? » Je me jetai à ses pieds ; je confessai en pleurant à chaudes larmes mes irrésolutions, mes caprices ; j'évoquai le spectre funeste qui traversait ma vie.

« Sauvez-moi ! ajoutai-je, je reviens à vous pour toujours. »

Elle tourna vers moi ses regards attendris...

En ce moment, notre entretien fut interrompu par de violents éclats de rire. C'était le frère de Sylvie qui nous rejoignait avec cette bonne gaieté rustique, suite obligée d'une nuit de fête, que des rafraîchissements

---

1. Le narrateur exagère un peu. La cascade de Terni, en Ombrie, est bien plus remarquable que celle du Valois. L'amplification de la comparaison correspond à une vaine tentative de reconquérir Sylvie.

nombreux avaient développée outre mesure. Il appelait le galant du bal, perdu au loin dans les buissons d'épines et qui ne tarda pas à nous rejoindre. Ce garçon n'était guère plus solide sur ses pieds que son compagnon, il paraissait plus embarrassé encore de la présence d'un Parisien que de celle de Sylvie. Sa figure candide, sa déférence mêlée d'embarras m'empêchaient de lui en vouloir d'avoir été le danseur pour lequel on était resté si tard à la fête. Je le jugeais peu dangereux.

« Il faut rentrer à la maison, dit Sylvie à son frère. À tantôt ! » me dit-elle en me tendant la joue.

L'amoureux ne s'offensa pas.

IX
Ermenonville

Je n'avais nulle envie de dormir. J'allai à Montagny pour revoir la maison de mon oncle. Une grande tristesse me gagna dès que j'en entrevis la façade jaune et les contrevents verts [1]. Tout semblait dans le même état qu'autrefois ; seulement il fallut aller chez le fermier pour avoir la clef de la porte. Une fois les volets ouverts, je revis avec attendrissement les vieux meubles conservés dans le même état et qu'on frottait de temps en temps, la haute armoire de noyer, deux tableaux flamands qu'on disait l'ouvrage d'un ancien peintre, notre aïeul ; de grandes estampes d'après Boucher [2], et toute une série encadrée de gravures de l'*Émile* et de *La Nouvelle Héloïse*, par Moreau [3] ; sur la table, un chien empaillé que j'avais connu vivant, ancien

1. Tous ces éléments laissent penser que Montagny est en réalité Mortefontaine, où Nerval a grandi ; voir *supra*, note 1, p. 21.
2. François Boucher (1703-1770) est un peintre français, dont les tableaux sont empreints de sensualisme et de préciosité. Jusque dans les années 1750, il fut l'un des peintres les plus en vue à la cour de Louis XV. De nombreuses gravures de Boucher ont circulé dans la seconde moitié du XVIIIe siècle.
3. Jean-Michel Moreau, dit Moreau le Jeune (1741-1814), graveur français. Il a illustré de nombreux ouvrages, dont ceux de Rousseau cités ici. On lui doit une très jolie gravure du tombeau de Rousseau sur l'île des Peupliers, datée du 4 juillet 1778, deux jours après la mort du philosophe.

Moreau le Jeune (1741-1814), *Tombeau de Jean-Jacques Rousseau*, 1778. © Roger-Viollet

compagnon de mes courses dans les bois, le dernier carlin peut-être, car il appartenait à cette race perdue.

« Quant au perroquet, me dit le fermier, il vit toujours ; je l'ai retiré chez moi. »

Le jardin présentait un magnifique tableau de végétation sauvage. J'y reconnus, dans un angle, un jardin d'enfant que j'avais tracé jadis. J'entrai tout frémissant dans le cabinet, où se voyait encore la petite bibliothèque pleine de livres choisis, vieux amis de celui qui n'était plus, et sur le bureau quelques débris antiques trouvés dans son jardin, des vases, des médailles romaines, collection locale qui le rendait heureux.

« Allons voir le perroquet », dis-je au fermier. – Le perroquet demandait à déjeuner comme en ses plus beaux jours, et me regarda de cet œil rond, bordé d'une peau chargée de rides, qui fait penser au regard expérimenté des vieillards.

Plein des idées tristes qu'amenait ce retour tardif en des lieux si aimés, je sentis le besoin de revoir Sylvie, seule figure vivante et jeune encore qui me rattachât à ce pays. Je repris la route de Loisy. C'était au milieu du jour ; tout le monde dormait fatigué de la fête. Il me vint l'idée de me distraire par une promenade à Ermenonville, distant d'une lieue par le chemin de la forêt. C'était par un beau temps d'été. Je pris plaisir d'abord à la fraîcheur de cette route qui semble l'allée d'un parc. Les grands chênes d'un vert uniforme n'étaient variés que par les troncs blancs des bouleaux au feuillage frissonnant. Les oiseaux se taisaient, et j'entendais seulement le bruit que fait le pivert en frappant les arbres pour y creuser son nid. Un instant, je risquai de me perdre, car les poteaux dont les palettes annoncent diverses routes n'offrent plus, par endroits, que des caractères effacés. Enfin, laissant le *Désert*[1] à gauche, j'arrivai au rond-point de la danse, où subsiste encore le banc des vieillards. Tous les souvenirs de l'antiquité philosophique, ressuscités par l'ancien possesseur du domaine, me revenaient en foule devant cette réalisation pittoresque de l'*Anacharsis* et de l'*Émile*[2].

Lorsque je vis briller les eaux du lac à travers les branches des saules et des coudriers, je reconnus tout à fait un lieu où mon oncle, dans ses promenades, m'avait conduit bien des fois : c'est le *temple de la Philosophie*, que son fondateur n'a pas eu le bonheur de terminer[3]. Il a la forme du temple de la sibylle Tiburtine[4], et, debout encore, sous l'abri d'un bouquet de pins, il étale tous ces grands noms de la pensée qui commencent par Montaigne et Descartes, et qui s'arrêtent à Rousseau. Cet édifice inachevé n'est déjà plus qu'une ruine, le lierre le festonne avec grâce, la ronce envahit les marches disjointes. Là, tout enfant, j'ai vu des fêtes où les jeunes filles vêtues de blanc venaient recevoir des prix d'étude et de sagesse. Où sont les buissons de roses qui entouraient la colline ?

---

1. Le « désert » désigne une zone sablonneuse près d'Ermenonville, aujourd'hui connue sous l'appellation « Désert de sable ».

2. Nerval cite ici deux fictions éducatives : *Voyage du jeune Anarcharsis en Grèce au IVe siècle* (1788) de l'abbé Barthélemy (1716-1795), et *Émile, ou De l'éducation* (1762) de Jean-Jacques Rousseau.

3. Ce temple est volontairement inachevé : Nerval veut-il dire qu'il ne s'est plus trouvé aucun philosophe dont le nom méritât d'y être inscrit ?

4. Les sibylles sont des prophétesses inspirées par Apollon. La sibylle Tiburtine pratiquait ses oracles à Tibur (ancien nom de Tivoli), où on lui érigea un temple.

L'églantier et le framboisier en cachent les derniers plants, qui retournent à l'état sauvage. – Quant aux lauriers, les a-t-on coupés, comme le dit la chanson des jeunes filles qui ne veulent plus aller au bois ? Non, ces arbustes de la douce Italie ont péri sous notre ciel brumeux. Heureusement le troène de Virgile fleurit encore, comme pour appuyer la parole du maître inscrite au-dessus de la porte : *Rerum cognoscere causas*[1] *!* – Oui, ce temple tombe comme tant d'autres, les hommes oublieux ou fatigués se détourneront de ses abords, la nature indifférente reprendra le terrain que l'art lui disputait ; mais la soif de connaître restera éternelle, mobile de toute force et de toute activité !

Voici les peupliers de l'île, et la tombe de Rousseau, vide de ses cendres[2]. Ô sage ! tu nous avais donné le lait des forts, et nous étions trop faibles pour qu'il pût nous profiter. Nous avons oublié tes leçons que savaient nos pères, et nous avons perdu le sens de ta parole, dernier écho des sagesses antiques. Pourtant ne désespérons pas, et comme tu fis à ton suprême instant, tournons nos yeux vers le soleil !

J'ai revu le château, les eaux paisibles qui le bordent, la cascade qui gémit dans les roches, et cette chaussée réunissant les deux parties du village, dont quatre colombiers marquent les angles, la pelouse qui s'étend au-delà comme une savane, dominée par des coteaux ombreux ; la tour de Gabrielle[3] se reflète de

---

1. « [Heureux qui peut] connaître les raisons des choses » (Virgile, *Géorgiques*, II, v. 490).

2. Voir *supra*, note 2, p. 27.

3. Allusion à Gabrielle d'Estrées, maîtresse d'Henri IV. La tour de Gabrielle n'existait déjà plus du temps de Nerval. Voir l'explication qu'il fournit dans *Angélique* : « On nous laissa seulement parcourir les

loin sur les eaux d'un lac factice étoilé de fleurs éphémères ; l'écume bouillonne, l'insecte bruit… Il faut échapper à l'air perfide qui s'exhale en gagnant les grès poudreux du désert et les landes où la bruyère rose relève le vert des fougères. Que tout cela est solitaire et triste ! Le regard enchanté de Sylvie, ses courses folles, ses cris joyeux donnaient autrefois tant de charme aux lieux que je viens de parcourir ! C'était encore une enfant sauvage, ses pieds étaient nus, sa peau hâlée, malgré son chapeau de paille, dont le large ruban flottait pêle-mêle avec ses tresses de cheveux noirs. Nous allions boire du lait à la ferme suisse, et l'on me disait : « Qu'elle est jolie, ton amoureuse, petit Parisien ! » Oh ! ce n'est pas alors qu'un paysan aurait dansé avec elle ! Elle ne dansait qu'avec moi, une fois par an, à la fête de l'arc.

---

bords du grand lac, dont la vue, à gauche, est dominée par la tour dite de Gabrielle, reste d'un ancien château. Un paysan qui nous accompagnait nous dit : "Voici la tour où était enfermée la belle Gabrielle… tous les soirs Rousseau venait pincer de la guitare sous sa fenêtre, et le roi, qui était jaloux, le guettait souvent, et a fini par le faire mourir." Voilà pourtant comment se forment les légendes. Dans quelques centaines d'années, on croira cela. Henri IV, Gabrielle et Rousseau sont les grands souvenirs du pays. On a confondu déjà, – à deux cents ans d'intervalle, – les deux souvenirs, et Rousseau devient peu à peu le contemporain de Henri IV. Comme la population l'aime, elle suppose que le roi a été jaloux de lui, et trahi par sa maîtresse, – en faveur de l'homme sympathique aux races souffrantes » (*Angélique*, dans *Les Filles du Feu*, éd. citée, p. 159).

X
Le grand frisé

J'ai repris le chemin de Loisy ; tout le monde était réveillé. Sylvie avait une toilette de demoiselle, presque dans le goût de la ville. Elle me fit monter à sa chambre avec toute l'ingénuité d'autrefois. Son œil étincelait toujours dans un sourire plein de charme, mais l'arc prononcé de ses sourcils lui donnait par instants un air sérieux. La chambre était décorée avec simplicité, pourtant les meubles étaient modernes, une glace à bordure dorée avait remplacé l'antique trumeau, où se voyait un berger d'idylle offrant un nid à une bergère bleue et rose. Le lit à colonnes chastement drapé de vieille perse à ramage [1] était remplacé par une couchette de noyer garnie du rideau à flèche ; à la fenêtre, dans la cage où jadis étaient les fauvettes, il y avait des canaris [2]. J'étais pressé de sortir de cette chambre où je ne trouvais rien du passé. « Vous ne travaillerez point à votre dentelle aujourd'hui ?... dis-je à Sylvie. – Oh ! je ne fais plus de dentelle, on n'en demande plus dans le pays ; même à Chantilly, la

1. Tissu d'ameublement en vogue dans la seconde moitié du XVIIIe siècle.

2. Au contraire de la fauvette, oiseau sauvage accordé à l'ancienne Sylvie (plusieurs variétés portent ce nom), le canari est un oiseau « civilisé » auquel on apprend à chanter avec une « mécanique ».

fabrique est fermée. – Que faites-vous donc ? » Elle alla chercher dans un coin de la chambre un instrument en fer qui ressemblait à une longue pince. « Qu'est-ce que c'est que cela ? – C'est ce qu'on appelle la mécanique ; c'est pour maintenir la peau des gants afin de les coudre. – Ah ! vous êtes gantière, Sylvie ? – Oui, nous travaillons ici pour Dammartin, cela donne beaucoup dans ce moment [1] ; mais je ne fais rien aujourd'hui ; allons où vous voudrez. » Je tournais les yeux vers la route d'Othys : elle secoua la tête ; je compris que la vieille tante n'existait plus. Sylvie appela un petit garçon et lui fit seller un âne. « Je suis encore fatiguée d'hier, dit-elle, mais la promenade me fera du bien ; allons à Châalis. » Et nous voilà traversant la forêt, suivis du petit garçon armé d'une branche. Bientôt Sylvie voulut s'arrêter, et je l'embrassai en l'engageant à s'asseoir. La conversation entre nous ne pouvait plus être bien intime. Il fallut lui raconter ma vie à Paris, mes voyages… « Comment peut-on aller si loin ? dit-elle. – Je m'en étonne en vous revoyant. – Oh ! cela se dit ! – Et convenez que vous étiez moins jolie autrefois. – Je n'en sais rien. – Vous souvenez-vous du temps où nous étions enfants et vous la plus grande ? – Et vous le plus sage ! – Oh ! Sylvie ! – On nous mettait sur l'âne chacun dans un panier. – Et nous ne nous disions pas *vous*… Te rappelles-tu que tu m'apprenais à pêcher des écrevisses sous les ponts de la Thève et de la Nonette ? – Et toi, te souviens-tu de ton frère de lait qui t'a un jour retiré

---

1. La dentellière est devenue gantière, perdant son charme au passage.

de l'ieau[1]. – Le *grand frisé* ! c'est lui qui m'avait dit qu'on pouvait la passer… *l'ieau* ! »

Je me hâtai de changer la conversation. Ce souvenir m'avait vivement rappelé l'époque où je venais dans le pays, vêtu d'un petit habit à l'anglaise qui faisait rire les paysans[2]. Sylvie seule me trouvait bien mis ; mais je n'osais lui rappeler cette opinion d'un temps si ancien. Je ne sais pourquoi ma pensée se porta sur les habits de noces que nous avions revêtus chez la vieille tante à Othys. Je demandai ce qu'ils étaient devenus. « Ah ! la bonne tante, dit Sylvie, elle m'avait prêté sa robe pour aller danser au carnaval à Dammartin, il y a de cela deux ans. L'année d'après, elle est morte, la pauvre tante[3] ! »

Elle soupirait et pleurait, si bien que je ne pus lui demander par quelle circonstance elle était allée à un bal masqué ; mais, grâce à ses talents d'ouvrière, je comprenais assez que Sylvie n'était plus une paysanne.

---

1. Un épisode similaire est d'abord relaté dans *Les Faux Saulniers. Histoire de l'abbé de Bucquoy*, puis repris dans *La Bohême galante* : « – Je me souviens, lui dis-je, que tu m'as abandonné une fois dans le danger. C'était à un remous de la Thève, vers Neufmoulin ; – je voulais absolument passer l'eau pour revenir par un chemin plus court chez ma nourrice. Tu me dis : On peut passer. Les longues herbes et cette écume verte qui surnage dans les coudes de nos rivières me donnèrent l'idée que l'endroit n'était pas profond. Je descendis le premier. Puis je fis un plongeon dans sept pieds d'eau. Alors tu t'enfuis, craignant d'être accusé d'avoir laissé se *nayer* le *petit Parisien*, et résolu à dire, si l'on t'en demandait des nouvelles, qu'il était allé *où il avait voulu*. – Voilà les amis » (*La Bohême galante*, éd. Jacques Bony, dans *Œuvres complètes*, dir. Claude Pichois, Gallimard, « Bibliothèque de la Pléiade », t. III, 1993, p. 292).
2. Coup sévère porté aux souvenirs de l'enfance champêtre et idyllique : le narrateur n'était qu'un intrus.
3. La bonne tante est-elle morte d'avoir appris cette profanation ?

Ses parents seuls étaient restés dans leur condition, et elle vivait au milieu d'eux comme une fée industrieuse, répandant l'abondance autour d'elle.

XI

Retour

La vue se découvrait au sortir du bois. Nous étions arrivés au bord des étangs de Châalis. Les galeries du cloître, la chapelle aux ogives élancées, la tour féodale et le petit château qui abrita les amours de Henri IV et de Gabrielle se teignaient des rougeurs du soir sur le vert sombre de la forêt.

« C'est un paysage de Walter Scott [1], n'est-ce pas ? disait Sylvie. – Et qui vous a parlé de Walter Scott ? lui dis-je. Vous avez donc bien lu depuis trois ans !... Moi, je tâche d'oublier les livres, et ce qui me charme, c'est de revoir avec vous cette vieille abbaye, où, tout petits enfants, nous nous cachions dans les ruines. Vous souvenez-vous, Sylvie, de la peur que vous aviez quand le gardien nous racontait l'histoire des moines rouges [2] ? – Oh ! ne m'en parlez pas. – Alors chantez-

---

1. Le romancier anglais Walter Scott (1771-1832) eut une grande influence sur les auteurs de la génération de Nerval. Ses romans, traduits à partir des années 1820 par Defauconpret, influencèrent Balzac et Dumas. Ici l'allusion est légèrement ironique. Sylvie n'est plus la petite paysanne naïve : elle a lu les romans à la mode...

2. Les moines rouges désignent les Templiers. Cette superstition fait l'objet d'un récit dans le chapitre « Chantilly » de *Promenades et souvenirs* : « Les moines rouges, qui enlevaient les femmes et les plongeaient dans des souterrains » (dans Nerval, *Aurélia, et autres textes autobiographiques*, éd. citée, p. 237).

moi la chanson de la belle fille enlevée au jardin de son père, sous le rosier blanc. – On ne chante plus cela. – Seriez-vous devenue musicienne ? – Un peu. – Sylvie, Sylvie, je suis sûr que vous chantez des airs d'opéra ! – Pourquoi vous plaindre ? – Parce que j'aimais les vieux airs, et que vous ne saurez plus les chanter. »

Sylvie modula quelques sons d'un grand air d'opéra moderne… Elle *phrasait* [1] !

Nous avions tourné les étangs voisins. « Voici la verte pelouse, entourée de tilleuls et d'ormeaux, où nous avons dansé souvent ! » J'eus l'amour-propre de définir les vieux murs carlovingiens [2] et déchiffrer les armoiries de la maison d'Este. « Et vous ! comme vous avez lu plus que moi ! dit Sylvie. Vous êtes donc un savant ? »

J'étais piqué de son ton de reproche. J'avais jusque-là cherché l'endroit convenable pour renouveler le moment d'expansion du matin ; mais que lui dire avec l'accompagnement d'un âne et d'un petit garçon très éveillé, qui prenait plaisir à se rapprocher toujours pour entendre parler un Parisien ? Alors j'eus le malheur de raconter l'apparition de Châalis, restée dans mes souvenirs. Je menai Sylvie dans la salle même du château où j'avais entendu chanter Adrienne. « Oh ! que je vous entende ! lui dis-je ; que votre voix chérie résonne sous ces voûtes et en chasse l'esprit qui me tourmente, fût-il divin ou bien fatal ! » Elle répéta les paroles et le chant après moi :

> Anges, descendez promptement
> Au fond du purgatoire !…

---

1. « Phraser » signifie ici chanter en articulant bien et en marquant des pauses. Le chant de Sylvie n'a plus la modestie d'antan.
2. Voir *supra*, note 2, p. 32.

« C'est bien triste ! me dit-elle.

– C'est sublime… Je crois que c'est du Porpora [1], avec des vers traduits au seizième siècle.

– Je ne sais pas », répondit Sylvie.

Nous sommes revenus par la vallée, en suivant le chemin de Charlepont [2], que les paysans, peu étymologistes de leur nature, s'obstinent à appeler *Châllepont*. Sylvie, fatiguée de l'âne, s'appuyait sur mon bras. La route était déserte ; j'essayai de parler des choses que j'avais dans le cœur, mais, je ne sais pourquoi, je ne trouvais que des expressions vulgaires, ou bien tout à coup quelque phrase pompeuse de roman, – que Sylvie pouvait avoir lue. Je m'arrêtais alors avec un goût tout classique, et elle s'étonnait parfois de ces effusions interrompues. Arrivés aux murs de Saint-S… [3], il fallait prendre garde à notre marche. On traverse des prairies humides où serpentent les ruisseaux. « Qu'est devenue la religieuse ? dis-je tout à coup.

– Ah ! vous êtes terrible avec votre religieuse… Eh bien !… eh bien ! cela a mal tourné. »

Sylvie ne voulut pas m'en dire un mot de plus.

Les femmes sentent-elles vraiment que telle ou telle parole passe sur les lèvres sans sortir du cœur ? On ne le croirait pas, à les voir si facilement abusées, à se rendre compte des choix qu'elles font le plus souvent : il y a des hommes qui jouent si bien la comédie de l'amour ! Je n'ai jamais pu m'y faire, quoique sachant

---

1. Compositeur napolitain (1686-1767) dont George Sand avait fait l'un des personnages principaux de *Consuelo* (1842-1843).
2. Commune de l'Oise, non loin de Mortefontaine.
3. Voir note *supra*, note 2, p. 31.

que certaines acceptent sciemment d'être trompées. D'ailleurs un amour qui remonte à l'enfance est quelque chose de sacré… Sylvie, que j'avais vue grandir, était pour moi comme une sœur. Je ne pouvais tenter une séduction… Une tout autre idée vint traverser mon esprit. – À cette heure-ci, me dis-je, je serais au théâtre… Qu'est-ce qu'Aurélie [1] (c'était le nom de l'actrice) doit donc jouer ce soir ? Évidemment le rôle de la princesse dans le drame nouveau. Oh ! le troisième acte, qu'elle y est touchante !… Et dans la scène d'amour du second ! avec ce jeune premier tout ridé…

« Vous êtes dans vos réflexions ? » dit Sylvie, et elle se mit à chanter :

> À Dammartin l'y a trois belles filles [2] :
> L'y en a z'une plus belle que le jour…

« Ah ! méchante ! m'écriai-je, vous voyez bien que vous en savez encore des vieilles chansons.

– Si vous veniez plus souvent ici, j'en retrouverais, dit-elle, mais il faut songer au solide. Vous avez vos affaires de Paris, j'ai mon travail ; ne rentrons pas trop tard : il faut que demain je sois levée avec le soleil. »

---

1. Nommée pour la première fois dans le récit. La signification onomastique de ce prénom est riche et complexe. Par son étymologie latine, *aurum*, elle évoque l'or (Aurélie est blonde) ; mais en grec, elle signifie la « nymphe », l'insecte en cours de métamorphose. Ce prénom renvoie aussi à la « Préface » des *Filles du Feu*, dans laquelle l'Étoile, l'actrice du roman tragique, s'appelle Aurélie. Enfin, on a pu lire dans ce prénom une analogie avec le nom de famille de la mère de Nerval, Laurent.
2. Ces « trois belles filles » évoquent-elles Adrienne, Aurélie et Sylvie ?

XII
Le père Dodu

J'allais répondre, j'allais tomber à ses pieds, j'allais offrir la maison de mon oncle, qu'il m'était possible encore de racheter, car nous étions plusieurs héritiers, et cette petite propriété était restée indivise ; mais en ce moment nous arrivions à Loisy. On nous attendait pour souper. La soupe à l'oignon répandait au loin son parfum patriarcal. Il y avait des voisins invités pour ce lendemain de fête. Je reconnus tout de suite un vieux bûcheron, le père Dodu, qui racontait jadis aux veillées des histoires si comiques ou si terribles. Tour à tour berger, messager, garde-chasse, pêcheur, braconnier même, le père Dodu fabriquait à ses moments perdus des coucous et des tournebroches. Pendant longtemps il s'était consacré à promener les Anglais dans Ermenonville, en les conduisant aux lieux de méditation de Rousseau et en leur racontant ses derniers moments. C'était lui qui avait été le petit garçon que le philosophe employait à classer ses herbes, et à qui il donna l'ordre de cueillir les ciguës dont il exprima le suc dans sa tasse de café au lait [1]. L'aubergiste de *La Croix d'or* lui contestait ce détail ; de là des haines prolongées. On avait longtemps

1. Une légende populaire et locale veut que Rousseau se soit empoisonné, comme Socrate, en buvant de la ciguë.

reproché au père Dodu la possession de quelques secrets bien innocents, comme de guérir les vaches avec un verset dit à rebours et le signe de croix figuré du pied gauche, mais il avait de bonne heure renoncé à ces superstitions, – grâce au souvenir, disait-il, des conversations de Jean-Jacques.

« Te voilà ! petit Parisien, me dit le père Dodu. Tu viens pour débaucher nos filles ? – Moi, père Dodu ? – Tu les emmènes dans les bois pendant que le loup n'y est pas [1] ? – Père Dodu, c'est vous qui êtes le loup. – Je l'ai été tant que j'ai trouvé des brebis ; à présent je ne rencontre plus que des chèvres, et qu'elles savent bien se défendre ! Mais vous autres, vous êtes des malins à Paris. Jean-Jacques avait bien raison de dire : "L'homme se corrompt dans l'air empoisonné des villes [2]." – Père Dodu, vous savez trop bien que l'homme se corrompt partout. »

Le père Dodu se mit à entonner un air à boire ; on voulut en vain l'arrêter à un certain couplet scabreux que tout le monde savait par cœur [3]. Sylvie ne voulut pas chanter, malgré nos prières, disant qu'on ne chantait plus à table. J'avais remarqué déjà que l'amoureux de la veille était assis à sa gauche. Il y avait je ne sais quoi dans sa figure ronde, dans ses cheveux ébouriffés,

---

1. Allusion à la célèbre comptine, « Promenons-nous dans les bois » ; l'expression « Loup y es-tu » est détournée ici dans un sens grivois.

2. Pour Rousseau en effet, l'homme se corrompt dans les métropoles et gagne à vivre à la campagne, où s'épanouissent ses vertus naturelles. À plusieurs reprises, Rousseau stigmatise Paris (dans *Les Confessions*, dans l'*Émile*), lieu de corruption de l'intelligence et des mœurs.

3. C'est maintenant le mythe rousseauiste qui est dégradé par la caricature qu'en donne le père Dodu.

qui ne m'était pas inconnu. Il se leva et vint derrière ma chaise en disant : « Tu ne me reconnais donc pas, Parisien ? » Une bonne femme, qui venait de rentrer au dessert après nous avoir servis, me dit à l'oreille : « Vous ne reconnaissez pas votre frère de lait ? » Sans cet avertissement, j'allais être ridicule. « Ah ! c'est toi, *grand frisé* ! dis-je, c'est toi, le même qui m'a retiré de *l'ieau* ! » Sylvie riait aux éclats de cette reconnaissance. « Sans compter, disait ce garçon en m'embrassant, que tu avais une belle montre en argent, et qu'en revenant tu étais bien plus inquiet de ta montre que de toi-même, parce qu'elle ne marchait plus ; tu disais : "La *bête* est *nayée*, ça ne fait plus tic-tac ; qu'est-ce que mon oncle va dire ?..."

– Une bête dans une montre ! dit le père Dodu, voilà ce qu'on leur fait croire à Paris, aux enfants ! »

Sylvie avait sommeil, je jugeai que j'étais perdu dans son esprit. Elle remonta à sa chambre, et pendant que je l'embrassais, elle dit : « À demain, venez nous voir ! »

Le père Dodu était resté à table avec Sylvain et mon frère de lait ; nous causâmes longtemps autour d'un flacon de *ratafiat* [1] de Louvres. « Les hommes sont égaux, dit le père Dodu entre deux couplets, je bois avec un pâtissier comme je ferais avec un prince. – Où est le pâtissier ? dis-je. – Regarde à côté de toi ! un jeune homme qui a l'ambition de s'établir. »

Mon frère de lait parut embarrassé. J'avais tout compris. – C'est une fatalité qui m'était réservée d'avoir un frère de lait dans un pays illustré par

1. Liqueur élaborée avec du marc et du jus de raisin frais.

Rousseau, – qui voulait supprimer les nourrices ! – Le père Dodu m'apprit qu'il était fort question du mariage de Sylvie avec le *grand frisé*, qui voulait aller former un établissement de pâtisserie à Dammartin. Je n'en demandai pas plus. La voiture de Nanteuil-le-Haudoin [1] me ramena le lendemain à Paris.

---

1. Orthographe nervalienne pour Nanteuil-le-Haudouin, commune du Valois jouxtant Ermenonville.

XIII
Aurélie

À Paris ! – La voiture met cinq heures. Je n'étais pressé que d'arriver pour le soir. Vers huit heures, j'étais assis dans ma stalle accoutumée ; Aurélie répandit son inspiration et son charme sur des vers faiblement inspirés de Schiller, que l'on devait à un talent de l'époque [1]. Dans la scène du jardin, elle devint sublime. Pendant le quatrième acte, où elle ne paraissait pas, j'allai acheter un bouquet chez Mme Prévost [2]. J'y insérai une lettre fort tendre signée : *Un inconnu*. Je me dis : Voilà quelque chose de fixé pour l'avenir, – et le lendemain j'étais sur la route d'Allemagne [3].

Qu'allais-je y faire ? Essayer de remettre de l'ordre dans mes sentiments [4]. – Si j'écrivais un roman, jamais je ne pourrais faire accepter l'histoire d'un cœur épris

---

1. Vraisemblablement *Marie Stuart* de Pierre Lebrun, d'après Schiller, créée en 1820 et reprise régulièrement ensuite. Ajoutons que *Marie Stuart* est reprise à partir de décembre 1840 par Rachel, et que Marie est absente de scène pendant tout l'acte IV.
2. Fleuriste située galerie de Nemours, près du Théâtre-Français.
3. En 1838, Nerval fit un premier voyage en Allemagne, peut-être pour fuir son chagrin d'avoir vu Jenny Colon épouser le flûtiste Louis Gabriel Leplus.
4. C'est la troisième fois dans *Sylvie* que le narrateur exprime ce besoin d'ordre.

de deux amours simultanés. Sylvie m'échappait par ma faute ; mais la revoir un jour avait suffi pour relever mon âme : je la plaçais désormais comme une statue souriante dans le temple de la Sagesse. Son regard m'avait arrêté au bord de l'abîme. – Je repoussais avec plus de force encore l'idée d'aller me présenter à Aurélie, pour lutter un instant avec tant d'amoureux vulgaires qui brillaient un instant près d'elle et retombaient brisés. – Nous verrons quelque jour, me dis-je, si cette femme a un cœur.

Un matin, je lus dans un journal qu'Aurélie était malade [1]. Je lui écrivis des montagnes de Salzbourg. La lettre était si empreinte de mysticisme germanique, que je n'en devais pas attendre un grand succès, mais aussi je ne demandais pas de réponse. Je comptais un peu sur le hasard et sur – l'*inconnu.*

Des mois se passent. À travers mes courses et mes loisirs, j'avais entrepris de fixer dans une action poétique les amours du peintre Colonna pour la belle Laura [2], que ses parents firent religieuse, et qu'il aima jusqu'à la mort. Quelque chose dans ce sujet se rapportait à mes préoccupations constantes. Le dernier vers du drame écrit, je ne songeai plus qu'à revenir en France.

Que dire maintenant qui ne soit l'histoire de tant d'autres ? J'ai passé par tous les cercles de ces lieux d'épreuves qu'on appelle théâtres. « J'ai mangé du tambour et bu de la cymbale », comme dit la phrase

---

1. On notera ici la récurrence de la nouvelle apprise par voie de presse (voir le chapitre I, « Nuit perdue »).
2. Confusion poétique intéressante. L'héroïne de Colonna est Polia ; Laura évoque la Laure de Pétrarque, que Nerval cite au chapitre VII ; voir *supra*, notes 1 et 2, p. 47.

dénuée de sens apparent des initiés d'Éleusis [1]. – Elle signifie sans doute qu'il faut au besoin passer les bornes du non-sens et de l'absurdité : la raison pour moi, c'était de conquérir et de fixer mon idéal.

Aurélie avait accepté le rôle principal dans le drame que je rapportais d'Allemagne [2]. Je n'oublierai jamais le jour où elle me permit de lui lire la pièce. Les scènes d'amour étaient préparées à son intention. Je crois bien que je les dis avec âme, mais surtout avec enthousiasme. Dans la conversation qui suivit, je me révélai comme l'*inconnu* des deux lettres. Elle me dit : « Vous êtes bien fou ; mais revenez me voir… Je n'ai jamais pu trouver quelqu'un qui sût m'aimer. »

Ô femme ! tu cherches l'amour… Et moi, donc ?

Les jours suivants, j'écrivis les lettres les plus tendres, les plus belles que sans doute elle eût jamais reçues. J'en recevais d'elle qui étaient pleines de raison. Un instant elle fut touchée, m'appela près d'elle, et m'avoua qu'il lui était difficile de rompre un attachement plus ancien. « Si c'est bien *pour moi* que vous m'aimez, dit-elle, vous comprendrez que je ne puis être qu'à un seul. »

Deux mois plus tard, je reçus une lettre pleine d'effusion. Je courus chez elle. – Quelqu'un me donna dans l'intervalle un détail précieux. Le beau jeune homme que j'avais rencontré une nuit au cercle venait de prendre un engagement dans les spahis [3].

---

1. Formule souvent associée aux mystères antiques, comme aux opérations magiques.
2. Gérard de Nerval était lui-même traducteur de l'allemand. En 1828, il avait donné une version française du *Faust* de Goethe.
3. Nom donné à un régiment français resté en faction en Algérie après la conquête d'Alger, en 1830.

L'été suivant, il y avait des courses à Chantilly. La troupe du théâtre où jouait Aurélie donnait là une représentation. Une fois dans le pays, la troupe était pour trois jours aux ordres du régisseur. – Je m'étais fait l'ami de ce brave homme, ancien Dorante des comédies de Marivaux [1], longtemps jeune premier de drame, et dont le dernier succès avait été le rôle d'amoureux dans la pièce imitée de Schiller, où mon binocle me l'avait montré si ridé. De près, il paraissait plus jeune, et, resté maigre, il produisait encore de l'effet dans les provinces. Il avait du feu [2]. J'accompagnais la troupe en qualité de *seigneur poète* [3] ; je persuadai au régisseur d'aller donner des représentations à Senlis et à Dammartin. Il penchait d'abord pour Compiègne ; mais Aurélie fut de mon avis. Le lendemain, pendant que l'on allait traiter avec les propriétaires des salles et les autorités, je louai des chevaux, et nous prîmes la route des étangs de Commelle pour aller déjeuner au château de la reine Blanche [4]. Aurélie, en amazone, avec ses cheveux blonds flottants, traversait la forêt comme une reine d'autrefois, et les

1. Il s'agit ici d'un emploi théâtral, celui d'amoureux dans les comédies de Marivaux (*Le Jeu de l'amour et du hasard*, *Les Fausses Confidences*).
2. Expression qui désigne le charisme de l'acteur, notamment dans les moments de passion amoureuse.
3. Identification du narrateur à un type de personnage qu'on rencontre dans la littérature baroque et précieuse. Dans *Le Roman comique* de Scarron, le « seigneur poète » Destin est amoureux de l'Étoile. Théophile Gautier retrouvera également ce thème dans *Le Capitaine Fracasse* (1863).
4. C'est le versant aristocratique du Valois, dans le domaine de Chantilly, qui rappelle le souvenir des Condé, d'où la mention allusive de Mme de Feuchères peu après. C'est la Thève qui alimente les étangs de Commelle ; la Nonette, ceux de Chantilly.

paysans s'arrêtaient éblouis. – Madame de F... était la seule qu'ils eussent vue si imposante et si gracieuse dans ses saluts. – Après le déjeuner, nous descendîmes dans des villages rappelant ceux de la Suisse, où l'eau de la Nonette fait mouvoir des scieries. Ces aspects chers à mes souvenirs l'intéressaient sans l'arrêter. J'avais projeté de conduire Aurélie au château, près d'Orry [1], sur la même place verte où pour la première fois j'avais vu Adrienne. – Nulle émotion ne parut en elle. Alors je lui racontai tout ; je lui dis la source de cet amour entrevu dans les nuits, rêvé plus tard, réalisé en elle. Elle m'écoutait sérieusement et me dit : « Vous ne m'aimez pas ! Vous attendez que je vous dise : La comédienne est la même que la religieuse ; vous cherchez un drame, voilà tout, et le dénouement vous échappe. Allez, je ne vous crois plus ! »

Cette parole fut un éclair. Ces enthousiasmes bizarres que j'avais ressentis si longtemps, ces rêves, ces pleurs, ces désespoirs et ces tendresses... ce n'était donc pas l'amour ? Mais où donc est-il ?

Aurélie joua le soir à Senlis. Je crus m'apercevoir qu'elle avait un faible pour le régisseur, – le jeune premier ridé. Cet homme était d'un caractère excellent et lui avait rendu des services.

Aurélie m'a dit un jour : « Celui qui m'aime, le voilà ! »

---

1. Voir *supra*, note 1, p. 44. On trouve, tout près d'Orry, le château de La Chapelle-en-Serval, dont il a déjà été question et où résidait la famille de Gontaut-Biron (voir *infra*, note 1, p. 91), mais le château ne ressemble guère à la description du chapitre II.

XIV
Dernier feuillet

Telles sont les chimères qui charment et égarent au matin de la vie. J'ai essayé de les fixer sans beaucoup d'ordre, mais bien des cœurs me comprendront. Les illusions tombent l'une après l'autre, comme les écorces d'un fruit, et le fruit, c'est l'expérience. Sa saveur est amère ; elle a pourtant quelque chose d'âcre qui fortifie, – qu'on me pardonne ce style vieilli. Rousseau dit que le spectacle de la nature console de tout. Je cherche parfois à retrouver mes bosquets de Clarens [1] perdus au nord de Paris, dans les brumes. Tout cela est bien changé !

Ermenonville ! pays où fleurissait encore l'idylle antique, – traduite une seconde fois d'après Gessner [2] ! tu as perdu ta seule étoile, qui chatoyait pour moi d'un double éclat. Tour à tour bleue et rose comme l'astre trompeur d'Aldébaran [3], c'était Adrienne ou Sylvie, – c'étaient les deux moitiés d'un seul amour. L'une était l'idéal sublime, l'autre la douce réalité. Que me

1. Nouvelle évocation de *La Nouvelle Héloïse.* Dans le roman, Julie invite Saint-Preux à Clarens et le charge d'éduquer ses enfants.

2. Poète suisse (1730-1788), auteur d'idylles et de pastorales.

3. Cette étoile, située dans la constellation du Taureau, était connue pour sa luminescence orange et jaune. L'admiration, unanime au XIXe siècle, pour la double couleur d'Aldébaran, ne semble reposer sur aucun fondement scientifique.

font maintenant tes ombrages et tes lacs, et même ton désert ? Othys, Montagny, Loisy, pauvres hameaux voisins, Châalis, – que l'on restaure, – vous n'avez rien gardé de tout ce passé ! Quelquefois j'ai besoin de revoir ces lieux de solitude et de rêverie. J'y relève tristement en moi-même les traces fugitives d'une époque où le naturel était affecté ; je souris parfois en lisant sur le flanc des granits certains vers de Roucher [1], qui m'avaient paru sublimes, – ou des maximes de bienfaisance au-dessus d'une fontaine ou d'une grotte consacrée à Pan [2]. Les étangs, creusés à si grands frais, étalent en vain leur eau morte que le cygne dédaigne. Il n'est plus, le temps où les chasses de Condé passaient avec leurs amazones fières, où les cors se répondaient de loin, multipliés par les échos !... Pour se rendre à Ermenonville, on ne trouve plus aujourd'hui de route directe. Quelquefois j'y vais par Creil et Senlis, d'autres fois par Dammartin [3].

À Dammartin, l'on n'arrive jamais que le soir. Je vais coucher alors à l'*Image Saint-Jean*. On me donne d'ordinaire une chambre assez propre tendue en vieille tapisserie avec un trumeau au-dessus de la glace. Cette chambre est un dernier retour vers le bric-à-brac, auquel j'ai depuis longtemps renoncé. On y dort

---

1. Poète français (1745-1794) qui périt sur l'échafaud. Dans le chapitre « Ermenonville » de *La Bohême galante*, Nerval attribue à Roucher ce vers gravé dans un rocher : « Tels furent nos aïeux dans leurs bois solitaires ! »

2. Divinité des troupeaux, Pan est également une figure du « Tout », symbole de l'unification, qu'on retrouve dans l'œuvre de Jean Giono.

3. La modification des itinéraires liée à la création des chemins de fer hante Nerval. Voir en particulier le chapitre « Itinéraire » des *Nuits d'octobre*.

chaudement sous l'édredon, qui est d'usage dans ce pays. Le matin, quand j'ouvre la fenêtre, encadrée de vigne et de roses, je découvre avec ravissement un horizon vert de dix lieues, où les peupliers s'alignent comme des armées. Quelques villages s'abritent çà et là sous leurs clochers aigus, construits, comme on dit là, en pointes d'ossements. On distingue d'abord Othys, – puis Ève, puis Ver [1] ; on distinguerait Ermenonville à travers le bois, s'il avait un clocher, – mais dans ce lieu philosophique on a bien négligé l'église. Après avoir rempli mes poumons de l'air si pur qu'on respire sur ces plateaux, je descends gaiement et je vais faire un tour chez le pâtissier. « Te voilà, grand frisé ! – Te voilà, petit Parisien ! » Nous nous donnons les coups de poings amicaux de l'enfance, puis je gravis un certain escalier où les joyeux cris de deux enfants accueillent ma venue. Le sourire athénien de Sylvie illumine ses traits charmés. Je me dis : « Là était le bonheur peut-être ; cependant… »

Je l'appelle quelquefois Lolotte, et elle me trouve un peu de ressemblance avec Werther [2], moins les pistolets, qui ne sont plus de mode. Pendant que le *grand frisé* s'occupe du déjeuner, nous allons promener les enfants dans les allées de tilleuls qui ceignent les débris des vieilles tours de brique du château. Tandis que ces

1. Mêmes lieux, mêmes traversées dans le chapitre XIV (« Ver ») de *La Bohême galante.*

2. Charlotte et Werther sont les héros du roman de Goethe, *Les Souffrances du jeune Werther*, dont l'influence fut grande sur les romantiques. Werther, désespéré par le mariage de Charlotte, se suicide. L'allusion colore le « dernier feuillet » d'une teinte mortifère, signe annonciateur de la chute tragique du récit.

petits s'exercent, au tir des compagnons de l'arc [1], à ficher dans la paille les flèches paternelles, nous lisons quelques poésies ou quelques pages de ces livres si courts qu'on ne fait plus guère.

J'oubliais de dire que le jour où la troupe dont faisait partie Aurélie a donné une représentation à Dammartin, j'ai conduit Sylvie au spectacle, et je lui ai demandé si elle ne trouvait pas que l'actrice ressemblait à une personne qu'elle avait connue déjà. « À qui donc ? – Vous souvenez-vous d'Adrienne ? »

Elle partit d'un grand éclat de rire en disant : « Quelle idée ! » Puis, comme se le reprochant, elle reprit en soupirant : « Pauvre Adrienne ! elle est morte au couvent de Saint-S..., vers 1832 [2]. »

---

1. Ce jeu de l'arc subsiste encore de nos jours.
2. La date de cette mort suggère qu'une grande partie du récit s'est déroulée alors qu'Adrienne était morte.

Chansons et légendes du Valois [1]

Chaque fois que ma pensée se reporte aux souvenirs de cette province du Valois, je me rappelle avec ravissement les chants et les récits qui ont bercé mon enfance. La maison de mon oncle était toute pleine de voix mélodieuses, et celles des servantes qui nous avaient suivis à Paris chantaient tout le jour les ballades joyeuses de leur jeunesse, dont malheureusement je ne puis citer les airs. J'en ai donné plus haut quelques fragments. Aujourd'hui, je ne puis arriver à les compléter, car tout cela est profondément oublié ; le secret en est demeuré dans la tombe des aïeules. On publie aujourd'hui les chansons patoises de Bretagne [2] ou d'Aquitaine, mais aucun chant des vieilles provinces où s'est toujours parlé la vraie langue française ne nous sera conservé. C'est qu'on n'a jamais voulu admettre dans les livres des vers composés sans souci de la rime, de la prosodie et de la syntaxe ; la langue

---

1. Première publication : « Les Vieilles Ballades françaises », *La Sylphide*, 10 juillet 1842 ; puis : *Journal du dimanche*, 25 avril 1847 ; *La Russie musicale*, 7 et 14 août 1847 ; *Chronique de Paris*, 3 août 1851. Pour « La Reine des poissons », *Le National*, 29 décembre 1850, puis *La Bohême galante* (*L'Artiste*, 15 décembre 1852) et *Contes et facéties* (Paris, Giraud et Dagneau, 1852). Voir Dossier, p. 112-113.

2. Allusion au célèbre *Barzaz-Breiz* de La Villemarqué (1839).

du berger, du marinier, du charretier qui passe, est bien la nôtre, à quelques élisions près, avec des tournures douteuses, des mots hasardés, des terminaisons et des liaisons de fantaisie, mais elle porte un cachet d'ignorance qui révolte l'homme du monde, bien plus que ne fait le patois. Pourtant ce langage a ses règles, ou du moins ses habitudes régulières, et il est fâcheux que des couplets tels que ceux de la célèbre romance : *Si j'étais hirondelle*, soient abandonnés, pour deux ou trois consonnes singulièrement placées, au répertoire chantant des concierges et des cuisinières [1].

Quoi de plus gracieux et de plus poétique pourtant :

> Si j'étais hirondelle ! – Que je puisse voler, – Sur votre sein, la belle, – J'irais me reposer !

Il faut continuer, il est vrai, par : *J'ai z'un coquin de frère…*, ou risquer un hiatus terrible ; mais pourquoi aussi la langue a-t-elle repoussé ce *z* si commode, si liant, si séduisant qui faisait tout le charme du langage de l'ancien Arlequin, et que la jeunesse dorée du Directoire [2] a tenté en vain de faire passer dans le langage des salons ?

Ce ne serait rien encore, et de légères corrections rendraient à notre poésie légère, si pauvre, si peu inspirée, ces charmantes et naïves productions de poètes modestes ; mais la rime, cette sévère rime française, comment s'arrangerait-elle du couplet suivant :

---

1. On reconnaît les théories défendues par Nerval : liberté dans l'art, c'est-à-dire refus de l'arbitraire des règles édictées par des théoriciens étrangers à la création poétique.
2. Voir *supra*, note 2, p. 12.

La fleur de l'olivier – Que vous avez aimé, – Charmante beauté ! – Et vos beaux yeux charmants, – Que mon cœur aime tant, – Les faudra-t-il quitter ?

Observez que la musique se prête admirablement à ces hardiesses ingénues, et trouve dans les assonances, ménagées suffisamment d'ailleurs, toutes les ressources que la poésie doit lui offrir. Voilà deux charmantes chansons, qui ont comme un parfum de la Bible, dont la plupart des couplets sont perdus, parce que personne n'a jamais osé les écrire ou les imprimer. Nous en dirons autant de celle où se trouve la strophe suivante :

Enfin vous voilà donc, – Ma belle mariée, – Enfin vous voilà donc – À votre époux liée, – Avec un long fil d'or – Qui ne rompt qu'à la mort !

Quoi de plus pur d'ailleurs comme langue et comme pensée ; mais l'auteur de cet épithalame [1] ne savait pas écrire, et l'imprimerie nous conserve les gravelures de Collé, de Piis et de Panard [2] !

Les richesses poétiques n'ont jamais manqué au marin, ni au soldat français, qui ne rêvent dans leurs chants que filles de roi, sultanes, et même présidentes, comme dans la ballade trop connue :

---

1. Voir *supra*, note 1, p. 43.

2. Il s'agit de trois chansonniers du XVIIIe siècle, dont les créations avaient souvent été publiées dans les mêmes recueils que des chansons populaires. Ils sont aussi auteurs de théâtre tous les trois ; Collé a écrit juste avant la Révolution *La Partie de chasse de Henri IV*, comédie jouée durant toute la Restauration, et Piis est, en 1792, un des fondateurs du théâtre du Vaudeville, aujourd'hui disparu ; on ne saurait réduire leur œuvre à des « gravelures », même si Panard est l'auteur de chansons à boire.

C'est dans la ville de Bordeaux – Qu'il est arrivé trois vaisseaux, etc.

Mais le tambour des gardes françaises, où s'arrêtera-t-il, celui-là ?

Un joli tambour s'en allait à la guerre, etc.

La fille du roi est à sa fenêtre, le tambour la demande en mariage :

– Joli tambour, dit le roi, tu n'es pas assez riche !
– Moi ? dit le tambour sans se déconcerter,
J'ai trois vaisseaux sur la mer gentille, – L'un chargé d'or, l'autre de perles fines, – Et le troisième pour promener ma mie !
– Touche là, tambour, lui dit le roi, tu n'auras pas ma fille !
– Tant pis ! dit le tambour, j'en trouverai de plus gentilles !...

Après tant de richesses dévolues à la verve un peu gasconne du militaire et du marin, envierons-nous le sort du simple berger ? Le voilà qui chante et qui rêve :

Au jardin de mon père, – Vole, mon cœur vole ! – Il y a z'un pommier doux, – Tout doux !
Trois belles princesses, – Vole, mon cœur vole, – Trois belles princesses – Sont couchées dessous, etc.

Est-ce donc la vraie poésie, est-ce la soif mélancolique de l'idéal qui manque à ce peuple pour comprendre et produire des chants dignes d'être comparés à ceux de l'Allemagne et de l'Angleterre ? Non, certes ; mais il est arrivé qu'en France la littérature n'est jamais descendue au niveau de la grande foule ; les poètes académiques du dix-septième et du dix-huitième siècle n'auraient pas plus compris de telles inspirations, que les paysans n'eussent admiré leurs odes, leurs épîtres et leurs poésies fugitives, si incolores, si gourmées. Pourtant comparons encore la chanson que je vais citer à tous ces bouquets à Chloris qui faisaient vers ce temps l'admiration des belles compagnies.

Quand [1] Jean Renaud de la guerre revint, – Il en revint triste et chagrin ; – « Bonjour, ma mère. – Bonjour, mon fils ! – Ta femme est accouchée d'un petit. »

« Allez, ma mère, allez devant, – Faites-moi dresser un beau lit blanc ; – Mais faites-le dresser si bas – Que ma femme ne l'entende pas ! »

Et quand ce fut vers le minuit, – Jean Renaud a rendu l'esprit.

Ici la scène de la ballade change et se transporte dans la chambre de l'accouchée :

« Ah ! dites, ma mère, ma mie, – Ce que j'entends pleurer ici ? – Ma fille, ce sont les enfants – Qui se plaignent du mal de dents. »

« Ah ! dites, ma mère, ma mie, – Ce que j'entends clouer ici ? – Ma fille, c'est le charpentier, – Qui raccommode le plancher ! »

« Ah ! dites, ma mère, ma mie, – Ce que j'entends chanter ici ? – Ma fille, c'est la procession – Qui fait le tour de la maison ! »

« Mais dites, ma mère, ma mie, – Pourquoi donc pleurez-vous ainsi ? – Hélas ! je ne puis le cacher ; – C'est Jean Renaud qui est décédé. »

---

1. Comme l'a montré Paul Bénichou (dans *Nerval et la chanson folklorique*, José Corti, 1970), les chansons qui précèdent étaient connues

« Ma mère ! dites au fossoyeux – Qu'il fasse la fosse pour deux, – Et que l'espace y soit si grand, – Qu'on y renferme aussi l'enfant ! »

Ceci ne le cède en rien aux plus touchantes ballades allemandes, il n'y manque qu'une certaine exécution de détail qui manquait aussi à la légende primitive de Lénore et à celle du roi des Aulnes, avant Goethe et Bürger [1]. Mais quel parti encore un poète eût tiré de la complainte de saint Nicolas, que nous allons citer en partie.

Il était trois petits enfants – Qui s'en allaient glaner aux champs,

S'en vont au soir chez un boucher. – « Boucher, voudrais-tu nous loger ? – Entrez, entrez, petits enfants, – Il y a de la place assurément. »

Ils n'étaient pas sitôt entrés, – Que le boucher les a tués, – Les a coupés en petits morceaux, – Mis au saloir comme pourceaux.

Saint Nicolas au bout d'sept ans, – Saint Nicolas vint dans ce champ. – Il s'en alla chez le boucher : – « Boucher, voudrais-tu me loger ? »

« Entrez, entrez, saint Nicolas, – Il y a d'la place, il n'en manque pas. » – Il n'était pas sitôt entré, – Qu'il a demandé à souper.

« Voulez-vous un morceau d'jambon ? – Je n'en veux pas, il n'est pas bon. – Voulez-vous un morceau de veau ? – Je n'en veux pas, il n'est pas beau !

---

avant Nerval, alors qu'il est le premier à donner un texte complet du *Roi Renaud* et à révéler la complainte de saint Nicolas qui suit.

1. Gottfried August Bürger (1747-1794) est un poète allemand, auteur de *Lénore* (1773), que Nerval a traduit.

Du p'tit salé je veux avoir, – Qu'il y a sept ans qu'est dans l'saloir ! » – Quand le boucher entendit cela, – Hors de sa porte il s'enfuya.

« Boucher, boucher, ne t'enfuis pas, – Repens-toi, Dieu te pardonn'ra. » – Saint Nicolas posa trois doigts – Dessus le bord de ce saloir :

Le premier dit : « J'ai bien dormi ! » – Le second dit : « Et moi aussi ! » – Et le troisième répondit : – « Je croyais être en paradis ! »

N'est-ce pas là une ballade d'Uhland [1], moins les beaux vers ? Mais il ne faut pas croire que l'exécution manque toujours à ces naïves inspirations populaires. La chanson que nous avons citée plus haut [2] : *Le roi Loys est sur son pont* a été composée sur un des plus beaux airs qui existent ; c'est comme un chant d'église croisé par un chant de guerre ; on n'a pas conservé la seconde partie de la ballade, dont pourtant nous connaissons vaguement le sujet. Le beau Lautrec, l'amant de cette noble fille, revient de la Palestine au moment où on la portait en terre. Il rencontre l'escorte sur le chemin de Saint-Denis. Sa colère met en fuite prêtres et archers, et le cercueil reste en son pouvoir. « Donnez-moi, dit-il à sa suite, donnez-moi mon couteau d'or fin, que je découse ce drap de lin ! » Aussitôt délivrée de son linceul, la belle revient à la vie. Son amant l'enlève et l'emmène dans son château au fond

1. Ludwig Uhland (1787-1862) est un poète romantique allemand.
2. Ici figure, dans les éditions des *Filles du Feu*, d'où est extrait *Sylvie*, un renvoi à une autre nouvelle du même recueil, *Angélique*, où la chanson « Le roi Loys est sur son pont » se trouve effectivement citée (voir Nerval, *Angélique*, 7e lettre, dans *Les Filles du Feu*, éd. citée, p. 121-122).

des forêts. Vous croyez qu'*ils vécurent heureux* et que tout se termina là ; mais une fois plongé dans les douceurs de la vie conjugale, le beau Lautrec n'est plus qu'un mari vulgaire, il passe tout son temps à pêcher au bord de son lac, si bien qu'un jour sa fière épouse vient doucement derrière lui et le pousse résolument dans l'eau noire, en lui criant :

> Va-t'en, vilain pêche-poissons, – Quand ils seront bons – Nous en mangerons.

Propos mystérieux, digne d'Arcabonne ou de Mélusine [1]. – En expirant, le pauvre châtelain a la force de détacher ses clefs de sa ceinture et de les jeter à la fille du roi, en lui disant qu'elle est désormais maîtresse et souveraine, et qu'il se trouve heureux de mourir par sa volonté !... Il y a dans cette conclusion bizarre quelque chose qui frappe involontairement l'esprit, et qui laisse douter si le poète a voulu finir par un trait de satire, ou si cette belle morte que Lautrec a tirée du linceul n'était pas une sorte de femme vampire, comme les légendes nous en présentent souvent.

Du reste, les variantes et les interpolations sont fréquentes dans ces chansons ; chaque province possédait une version différente. On a recueilli comme une légende du Bourbonnais, *La Jeune Fille de la Garde*, qui commence ainsi :

---

1. Paul Bénichou a montré (dans *Nerval et la chanson folklorique*, *op. cit.*) qu'Arcabonne était l'affreuse magicienne de l'*Amadis de Gaule*. Mélusine, à laquelle Nerval fait plusieurs fois allusion, est liée à la légende des Lusignan, dont le nom se retrouvera dans « El Desdichado », le premier sonnet des *Chimères*. La version donnée par Nerval de la chanson « de Lautrec » est très différente des versions connues par ailleurs, où l'héroïne est innocente.

Au château de la Garde – Il y a trois belles filles, – Il y en a une plus belle que le jour, – Hâte-toi, capitaine, – Le duc va l'épouser.

C'est celle que nous avons citée, qui commence ainsi :

Dessous le rosier blanc – La belle se promène.

Voilà le début, simple et charmant ; où cela se passe-t-il ? Peu importe ! Ce serait si l'on voulait la fille d'un sultan rêvant sous les bosquets de Schiraz [1]. Trois cavaliers passent au clair de la lune : – Montez, dit le plus jeune, sur mon beau cheval gris. N'est-ce pas là la course de Lénore [2], et n'y a-t-il pas une attraction fatale dans ces cavaliers inconnus !

Ils arrivent à la ville, s'arrêtent à une hôtellerie éclairée et bruyante. La pauvre fille tremble de tout son corps :

Aussitôt arrivée, – L'hôtesse la regarde. – « Êtes-vous ici par force – Ou pour votre plaisir ? – Au jardin de mon père – Trois cavaliers m'ont pris. »

Sur ce propos le souper se prépare : « Soupez, la belle, et soyez heureuse ;

Avec trois capitaines, – Vous passerez la nuit. »

Mais le souper fini, – La belle tomba morte. – Elle tomba morte – Pour ne plus revenir !

---

1. Ville du sud-ouest de l'Iran.

2. On remarque que, tout en affirmant l'origine valoisienne des chansons, Nerval les associe à d'autres contrées qui lui sont chères, Allemagne ou Orient. La *Lénore* de Bürger a fortement impressionné Nerval, qui a donné huit versions de sa traduction et la mentionne à plusieurs reprises (voir l'article de Michel Brix, « Nerval et la *Lénore* de Bürger », *Les Lettres romanes*, n° 3, 1991, p. 183-194).

« Hélas ! ma mie est morte ! s'écria le plus jeune cavalier, qu'en allons-nous faire !… » Et ils conviennent de la reporter au château de son père, sous le rosier blanc.

> Et au bout de trois jours – La belle ressuscite : – « Ouvrez, ouvrez, mon père, – Ouvrez sans plus tarder ! – Trois jours j'ai fait la morte – Pour mon honneur garder. »

La vertu des filles du peuple attaquée par des seigneurs félons a fourni encore de nombreux sujets de romances. Il y a, par exemple, la fille d'un pâtissier, que son père envoie porter des gâteaux chez un galant châtelain. Celui-ci la retient jusqu'à la nuit close, et ne veut plus la laisser partir. Pressée de son déshonneur, elle feint de céder, et demande au comte son poignard pour couper une agrafe de son corset. Elle se perce le cœur, et les pâtissiers instituent une fête pour cette martyre boutiquière.

Il y a des chansons de *causes célèbres* qui offrent un intérêt moins romanesque, mais souvent plein de terreur et d'énergie. Imaginez un homme qui revient de la chasse et qui répond à un autre qui l'interroge :

> J'ai tant tué de petits lapins blancs – Que mes souliers sont pleins de sang, – « T'en as menti, faux traître ! – Je te ferai connaître. – Je vois, je vois à tes pâles couleurs – Que tu viens de tuer ma sœur !

Quelle poésie sombre en ces lignes qui sont à peine des vers ! Dans une autre, un déserteur rencontre la maréchaussée, cette terrible Némésis au chapeau bordé d'argent.

On lui a demandé – Où est votre congé ? – « Le congé que j'ai pris, – Il est sous mes souliers. »

Il y a toujours une amante éplorée mêlée à ces tristes récits.

La belle s'en va trouver son capitaine. – Son colonel et aussi son sergent...

Le refrain est une mauvaise phrase latine, sur un ton de plain-chant, qui prédit suffisamment le sort du malheureux soldat.

Quoi de plus charmant que la chanson de Biron [1], si regretté dans ces contrées :

Quand Biron voulut danser, – Quand Biron voulut danser, – Ses souliers fit apporter – Ses souliers fit apporter ; – Sa chemise – De Venise, – Son pourpoint – Fait au point, – Son chapeau tout rond ; – Vous danserez, Biron !

Nous avons cité deux vers de la suivante :

La belle était assise – Près du ruisseau coulant, – Et dans l'eau qui frétille, – Baignait ses beaux pieds blancs : – Allons, ma mie, légèrement ! – Légèrement !

C'est une jeune fille des champs qu'un seigneur surprend au bain comme Percival surprit Griselidis [2].

---

1. Charles de Gontaut, duc de Biron (1562-1602), est plusieurs fois cité dans l'œuvre de Nerval, en particulier dans « El Desdichado » : « Suis-je Amour ou Phébus ?... Lusignan ou Biron ? » Biron, ami d'Henri IV, était célèbre dans le Valois.

2. C'est encore Paul Bénichou qui a découvert que la référence apparemment incohérente à Percival et Griselidis provenait d'un drame allemand intitulé *Griseldis* (1835), mais la chanson (qui est la « chanson favorite » de Sylvie) reste inconnue par ailleurs.

Un enfant sera le résultat de leur rencontre. Le seigneur dit :

« En ferons-nous un prêtre, – Ou bien un président ?

– Non, répond la belle, ce ne sera qu'un paysan :

– On lui mettra la hotte – Et trois oignons dedans...
– Il s'en ira criant : – Qui veut mes oignons blancs ?...
– Allons, ma mie, légèrement, etc. »

Voici un conte de veillée que je me souviens d'avoir entendu réciter par les vanniers [1] :

LA REINE DES POISSONS

Il y avait dans la province du Valois, au milieu des bois de Villers-Cotterêts [2], un petit garçon et une petite fille qui se rencontraient de temps en temps sur les bords des petites rivières du pays, l'un obligé par un bûcheron nommé Tord-Chêne, qui était son oncle, à aller ramasser du bois mort, l'autre envoyée par ses parents pour saisir de petites anguilles que la baisse des eaux permet d'entre-

---

1. On a contesté l'authenticité folklorique de ce conte dont on ne trouve, il est vrai, aucune autre version. Cependant, le motif du « poisson merveilleux » qui supplie le pêcheur de le relâcher figure dans de nombreux contes populaires et autres œuvres littéraires, comme la fable de La Fontaine « Le Petit Poisson et le Pêcheur » (1668) ou encore *Le Conte du pêcheur et du petit poisson* (1833), de Pouchkine, dont Nerval a d'ailleurs publié en 1846, dans *L'Artiste*, un extrait d'*Eugène Onéguine*, à la suite d'un de ses textes. Ce genre de contes est fertile aussi en petits garçons qu'un parent indigne fait travailler au-delà de leurs forces ; le nom de Tord-Chêne figure, pour sa part, dans un conte bien connu. On peut supposer, avec quelque vraisemblance, que Nerval a associé deux contes qu'il avait entendus pour les assembler, infléchissant le récit en fonction de thèmes personnels.
2. Ville natale d'Alexandre Dumas (1802-1870), dédicataire des *Filles du Feu*. Comme pour Nerval, une partie de ses origines s'enracine donc dans le Valois.

voir dans la vase en certaines saisons. Elle devait encore, faute de mieux, atteindre entre les pierres les écrevisses, très nombreuses dans quelques endroits.

Mais la pauvre petite fille, toujours courbée et les pieds dans l'eau, était si compatissante pour les souffrances des animaux, que, le plus souvent, voyant les contorsions des poissons qu'elle tirait de la rivière, elle les y remettait et ne rapportait guère que les écrevisses, qui souvent lui pinçaient les doigts jusqu'au sang, et pour lesquelles elle devenait alors moins indulgente [1].

Le petit garçon, de son côté, faisant des fagots de bois mort et des bottes de bruyère, se voyait exposé souvent aux reproches de Tord-Chêne, soit parce qu'il n'en avait pas assez rapporté, soit parce qu'il s'était trop occupé à causer avec la petite pêcheuse.

Il y avait un certain jour dans la semaine où ces deux enfants ne se rencontraient jamais… Quel était ce jour ? Le même sans doute où la fée Mélusine se changeait en poisson, et où les princesses de l'Edda se transformaient en cygnes [2].

Le lendemain d'un de ces jours-là, le petit bûcheron dit à la pêcheuse : « Te souviens-tu qu'hier je t'ai vue passer là-bas dans les eaux de Challepont [3] avec tous les poissons qui te faisaient cortège… jusqu'aux carpes et aux brochets ; et tu étais toi-même un beau poisson rouge avec les côtés tout reluisants d'écailles en or.

– Je m'en souviens bien, dit la petite fille, puisque je t'ai vu, toi qui étais sur le bord de l'eau, et que tu ressemblais

---

1. Ce trait humoristique est évidemment étranger au ton du conte folklorique.
2. Dernière évocation du motif du cygne ; voir *supra*, note 1, p. 29, et note 3, p. 48.
3. Ou « *Châllepont* », dont le narrateur dit qu'il s'agit de la prononciation paysanne de Charlepont (voir *supra*, p. 66 et note 2, p. 66).

à un beau *chêne-vert*, dont les branches d'en haut étaient d'or..., et que tous les arbres du bois se courbaient jusqu'à terre en te saluant.

– C'est vrai, dit le petit garçon, j'ai rêvé cela.

– Et moi aussi j'ai rêvé ce que tu m'as dit : mais comment nous sommes-nous rencontrés deux dans le rêve [1] ?... »

En ce moment, l'entretien fut interrompu par l'apparition de Tord-Chêne, qui frappa le petit avec un gros gourdin, en lui reprochant de n'avoir pas seulement lié encore un fagot.

« Et puis, ajouta-t-il, est-ce que je ne t'ai pas recommandé de tordre les branches qui cèdent facilement, et de les ajouter à tes fagots.

– C'est que, dit le petit, le garde me mettrait en prison, s'il trouvait dans mes fagots du bois vivant... Et puis, quand j'ai voulu le faire, comme vous me l'aviez dit, j'entendais l'arbre qui se plaignait.

– C'est comme moi, dit la petite fille, quand j'emporte des poissons dans mon panier, je les entends qui chantent si tristement, que je les rejette dans l'eau... Alors on me bat chez nous !

– Tais-toi, petite masque ! dit Tord-Chêne, qui paraissait animé par la boisson, tu déranges mon neveu de son travail. Je te connais bien, avec tes dents pointues couleur de perle... Tu es la reine des poissons... Mais je saurai bien te prendre à un certain jour de la semaine, et tu périras dans l'osier... dans l'osier ! »

Les menaces que Tord-Chêne avait faites dans son ivresse ne tardèrent pas à s'accomplir. La petite fille se trouva prise sous la forme de poisson rouge, que le destin

1. La rencontre des amants en rêve est le sujet du *Songe de Poliphile* (voir *supra*, note 2, p. 47), si cher à Nerval. On va trouver ensuite les idées pythagoriciennes des *Chimères*.

l'obligeait à prendre à de certains jours. Heureusement, lorsque Tord-Chêne voulut, en se faisant aider de son neveu, tirer de l'eau la nasse d'osier, ce dernier reconnut le beau poisson rouge à écailles d'or qu'il avait vu en rêve, comme étant la transformation accidentelle de la petite pêcheuse.

Il osa la défendre contre Tord-Chêne et le frappa même de sa galoche. Ce dernier, furieux, le prit par les cheveux, cherchant à le renverser ; mais il s'étonna de trouver une grande résistance : c'est que l'enfant tenait des pieds à la terre avec tant de force que son oncle ne pouvait venir à bout de le renverser ou de l'emporter, et le faisait en vain virer dans tous les sens.

Au moment où la résistance de l'enfant allait se trouver vaincue, les arbres de la forêt frémirent d'un bruit sourd, les branches agitées laissèrent siffler les vents, et la tempête fit reculer Tord-Chêne, qui se retira dans sa cabane de bûcheron.

Il en sortit bientôt, menaçant, terrible et transfiguré comme un fils d'Odin ; dans sa main brillait cette hache scandinave qui menace les arbres, pareille au marteau de Thor [1] brisant les rochers.

Le jeune roi des forêts, victime de Tord-Chêne, – son oncle, usurpateur, – savait déjà quel était son rang, qu'on voulait lui cacher. Les arbres le protégeaient, mais seulement par leur masse et leur résistance passive…

En vain les broussailles et les surgeons s'entrelaçaient de tous côtés pour arrêter les pas de Tord-Chêne, celui-ci a appelé ses bûcherons et se trace un chemin à travers ces obstacles. Déjà plusieurs arbres, autrefois sacrés du temps

1. Ces divinités mythologiques germaniques reparaîtront dans *Aurélia* (voir Nerval, *Aurélia, et autres textes autobiographiques*, éd. citée, p. 312).

des vieux druides, sont tombés sous les haches et les cognées.

Heureusement, la reine des poissons n'avait pas perdu de temps. Elle était allée se jeter aux pieds de la *Marne*, de l'*Oise* et de l'*Aisne*, – les trois grandes rivières voisines, leur représentant que si l'on n'arrêtait pas les projets de Tord-Chêne et de ses compagnons, les forêts trop éclaircies n'arrêteraient plus les vapeurs qui produisent les pluies et qui fournissent l'eau aux ruisseaux, aux rivières et aux étangs ; que les sources elles-mêmes seraient taries et ne feraient plus jaillir l'eau nécessaire à alimenter les rivières ; sans compter que tous les poissons se verraient détruits en peu de temps, ainsi que les bêtes sauvages et les oiseaux [1].

Les trois grandes rivières prirent là-dessus de tels arrangements que le sol où Tord-Chêne, avec ses terribles bûcherons, travaillait à la destruction des arbres, – sans toutefois avoir pu atteindre encore le jeune prince des forêts, – fut entièrement noyé par une immense inondation, qui ne se retira qu'après la destruction entière des agresseurs.

Ce fut alors que le roi des forêts et la reine des poissons purent de nouveau reprendre leurs innocents entretiens.

Ce n'étaient plus un petit bûcheron et une petite pêcheuse, – mais un Sylphe et une Ondine [2], lesquels, plus tard, furent unis légitimement.

Nous nous arrêtons dans ces citations si incomplètes, si difficiles à faire comprendre sans la musique et sans la poésie des lieux et des hasards, qui font que

---

1. Ce développement, que l'on dirait aujourd'hui écologique, n'a rien à voir avec l'esprit du conte folklorique.
2. Ce sont maintenant les figures des légendes – et de l'illuminisme – qui apparaissent pour refermer le conte sur une dimension mythique.

tel ou tel de ces chants populaires se grave ineffaçablement dans l'esprit. Ici ce sont des compagnons qui passent avec leurs longs bâtons ornés de rubans ; là des mariniers qui descendent un fleuve ; des buveurs d'autrefois (ceux d'aujourd'hui ne chantent plus guère), des lavandières, des faneuses, qui jettent au vent quelques lambeaux des chants de leurs aïeules. Malheureusement on les entend répéter plus souvent aujourd'hui les romances à la mode, platement spirituelles, ou même franchement incolores, variées sur trois à quatre thèmes éternels. Il serait à désirer que de bons poètes modernes missent à profit l'inspiration naïve de nos pères, et nous rendissent, comme l'ont fait les poètes d'autres pays, une foule de petits chefs-d'œuvre qui se perdent de jour en jour avec la mémoire et la vie des bonnes gens du temps passé [1].

---

1. Nerval rejoint ici un souhait plusieurs fois exprimé par Charles Nodier. Voir en particulier les « Préfaces » de *Smarra*, de *Trilby* et de *La Fée aux miettes.*

DOSSIER

1 — Sylvie *et* Les Filles du Feu

2 — *Regards critiques sur* Sylvie

3 — *Le temps vécu :*
un questionnement romantique

4 — *Dans le sillage de* Sylvie *:*
écriture et mémoire au XX*e* *siècle*

1 Sylvie *et* Les Filles du Feu

GENÈSE DE *SYLVIE*

SE RESSOUVENIR

Sylvie paraît dans la *Revue des Deux Mondes* le 15 août 1853, avec pour sous-titre *Souvenirs du Valois.* Le prénom de l'héroïne, qui donne son titre au récit, la localisation géographique de l'« histoire », et enfin son appartenance au genre de la nouvelle permettent de reconstituer la genèse complexe d'un texte qui a souvent questionné la critique [1].

Comme la plupart des œuvres publiées après 1850, *Sylvie* s'enracine dans un passé à la fois proche et lointain. Depuis 1846, Nerval se rend régulièrement dans le Valois, où il note ses impressions, remontant aux premières années de sa vie, à Mortefontaine ; c'est là qu'il fit ses premiers pas, chez son grand-oncle Antoine Boucher, qui le recueillit à la mort de sa mère, en 1810. Ce retour aux sources, qu'indique explicitement le terme « souvenirs », s'intensifie à partir de 1849. Entre deux crises nerveuses, entre deux internements à la clinique du docteur Blanche, à Passy, Nerval quitte Paris et, dans son Valois, tisse les fibres matricielles d'œuvres en gestation. Au cours des étés 1852 et 1853, il effectue plusieurs allers-retours entre la capitale et sa terre natale, pèlerinages

1. Jacques Bony note à juste titre qu'« il est difficile de suivre le début de la genèse de *Sylvie* » (dans Nerval, *Œuvres complètes*, dir. Claude Pichois, Gallimard, « Bibliothèque de la Pléiade », 1993, t. III, p. 1210).

décisifs pour l'élaboration de *Sylvie*, comme en témoigne sa correspondance. En août 1852, un an avant la publication de sa nouvelle dans la *Revue des Deux Mondes*, Nerval marche déjà à la rencontre de *Sylvie*, ce dont il se justifie en ces termes auprès de François Buloz, directeur de la *Revue* :

> Quand vous m'avez écrit, j'étais dans le Valois faisant le paysage de mon action. J'y repars au premier rayon de soleil. J'ai trouvé de bonnes choses et cela prend du développement. Pour moi, c'est fini ; c'est-à-dire écrit au crayon sur une foule de morceaux de papier, que je n'ai qu'à récrire [1].

« C'est fini » ne signifie pas, en langage nervalien, que l'œuvre est terminée. La nouvelle promise à Buloz sillonne encore plusieurs mois les sentes du Valois et l'imaginaire de Nerval, avant que n'en soit achevée la « récriture ». Ce témoignage épistolaire renseigne néanmoins sur le travail du créateur. Les visites qu'il effectue sont autant de jalons cartographiés, qui se mueront ensuite en repères poétiques, spatiaux et temporels. Nerval se réapproprie les paysages et laisse se sédimenter ses souvenirs. Les lieux surtout mettent en mouvement sa fantaisie. C'est le cas de Chantilly, dont il commente le décor et qu'il associe à la famille des Condé, si prégnante dans l'imaginaire historique de *Sylvie*. Le 31 juillet 1853, dans une lettre à Victor de Mars, Nerval s'explique à nouveau sur cette nécessité d'apprivoiser les sites pour écrire ; il expose sa « méthode », qui combine l'observation du peintre au travail mnémonique de l'écrivain :

> Mon cher de Mars,
>
> […] Je reviens de Chantilly où j'étais allé pour *prendre* un paysage. Je suis sûr de l'histoire mais non de ne pas

1. *Ibid.*, p. 790.

l'écourter. Après tout, nous ferions un autre morceau sous un autre titre. Autrement, cela n'en finira pas.

Gérard.

Cependant, s'il y avait un moyen. – La seule hâte me fait travailler, comme toujours. Sinon, je *perle* trop [1].

Nerval se ressaisit du Valois en artiste de la plume et même du pinceau – l'influence de la peinture dans le récit est d'ailleurs décisive [2]. Dans cette lettre, la mémorisation des sites va de pair avec une réflexion sur le style, sur la manière de rendre sensible la mémoire, grâce à une prose ambulatoire. Le *post-scriptum* évoque, non sans humour et lucidité, la pente naturelle du « rêveur en prose » à « perler », c'est-à-dire à enfiler les images, les impressions, comme des perles [3]. Accumulations, juxtapositions, exclamations, répétitions : le style perlé de Nerval est celui du promeneur dont le « cœur navré de joie [4] » tente de rendre sensible le ton de la description grâce à un « phrasé » qui mêle nostalgie et douceur. Le pèlerinage dans le Valois offre une ligne de conduite narrative grâce aux paysages dépeints : la présence réelle de lieux prend la forme d'un *continuo* de scènes liées entre elles par les fils invisibles de la composition poétique que provoque le « ressouvenir ». L'écriture de *Sylvie* témoigne ainsi d'un apprivoisement et d'une mise à distance de la réalité connue, grâce au travail de poétisation du réel.

FEUILLES DÉTACHÉES

À l'instar de Rousseau qui confectionnait ses herbiers, Nerval se constitue un album d'images, décors et

1. *Ibid.*, p. 806.
2. Voir Présentation, p. XVI-XVII.
3. Voir Présentation, p. XXVIII.
4. Musset, *Lorenzaccio*, IV, 11.

personnages, qui s'étoile ensuite dans les œuvres publiées à partir de 1850. La genèse de *Sylvie* est donc étroitement liée à un ensemble de récits souvenirs qui tous se tournent, dans leur mouvement introspectif, vers le Valois natal. *Sylvie* résulte de la récolte des paysages qui ouvrent à Nerval les portes du temps. Tous les récits personnels publiés à partir de 1850 font ainsi escale dans le Valois, comme pour frotter au présent qu'il redécouvre la magie de l'écriture.

Cette « écriture pérégrine » aboutit au petit chef-d'œuvre de prose poétique qu'est *Sylvie*, même si Nerval admet que son texte lui a coûté bien de la peine ; il considère cependant sa nouvelle comme l'une de ses plus saillantes réussites. Sans doute fait-il allusion à l'exigence que requiert de lui son récit quand, dans *Aurélia*, il relate l'effort au terme duquel *Sylvie* vit le jour :

> Là, mon mal reprit avec diverses alternatives. Au bout d'un mois j'étais rétabli. Pendant les deux mois qui suivirent, je repris mes pérégrinations autour de Paris. Le plus long voyage que j'aie fait a été de visiter la cathédrale de Reims. Peu à peu je me remis à écrire et je composais une de mes meilleures nouvelles. Toutefois, je l'écrivis péniblement, presque toujours au crayon, sur des feuilles détachées, suivant le hasard de ma rêverie ou de ma promenade. Les corrections m'agitèrent beaucoup [1].

L'aveu de Nerval est précieux, qui revient sur sa démarche créatrice et même sur une « génétique » du texte, corroborant les éléments disséminés antérieurement dans sa correspondance. Les « feuilles détachées » rappellent les cartes à jouer, au dos desquelles Jean-Jacques Rousseau notait ses impressions de rêveur solitaire ; le modèle de Rousseau écrivant n'est pas étranger

1. Nerval, *Aurélia*, IIe partie, chap. V.

à Nerval, qui « prend des paysages » pour préparer le terreau de sa nouvelle. Les manuscrits fragmentaires de *Sylvie*, conservés à la bibliothèque de l'Institut, sont en effet constitués de petits carrés de papiers, sur lesquels Nerval a écrit ses impressions fugitives, se repérant grâce à des abréviations, parfois difficilement déchiffrables [1]. Les « paperolles » de *Sylvie* consignent le temps de la promenade, grâce aux notes prises durant la marche. À ces papiers s'ajoutent trois fragments que le contenu rattache à l'écriture de *Sylvie* [2]. L'apparente disparate des « petits papiers » de Nerval ne reflète-t-elle pas la composition de *Sylvie*, qui présente une succession de scènes reliées par la rêverie et la mémoire ? La démarche créatrice de Nerval s'inscrirait alors dans une tradition littéraire, celle de l'écrivain-promeneur qui, de Montaigne à Rimbaud en passant par Nerval et Rousseau, dit la beauté du monde dans une œuvre en mouvement.

SYLVIE, SYLVAIN, SILVANECTES

Pendant l'élaboration de *Sylvie*, Nerval part en quête du titre qui exprimera le mieux sa pensée. Dans une lettre de mars 1852 à Anténor Joly [3], il s'ouvre sur sa recherche et sur ses hésitations :

---

1. Jacques Bony a transcrit, sans les galvauder, ces notes de Nerval. Voir son travail d'établissement du texte (dans Nerval, *Œuvres complètes*, éd. citée, t. III, p. 1211).
2. Il s'agit d'*Émerence*, dont le manuscrit se trouve à Chantilly ; *Sylvain et Sylvie*, dont on retrouve la trace dans *Les Faux Saulniers* et *La Bohême galante* ; et enfin *Un souvenir*, publié de manière posthume par Arsène Houssaye.
3. Anténor Joly (1799-1852) fut l'un des créateurs du théâtre de la Renaissance (avec Victor Hugo et Casimir Delavigne) et dirigea plusieurs organes de presse.

Mon cher Anténor,

Je n'ai trouvé que deux titres qui exprimaient ce que je veux faire : *L'Amour qui passe* ou *Scènes de la vie*, ou les deux ; cela me donne de la latitude et entre dans ma manière : c'est ainsi que j'ai écrit *Les Femmes du Caire* et les *Confidences de Nicolas.* Maintenant vous pouvez ne pas mettre de titre ou même ne pas annoncer. L'annonce a pour moi l'inconvénient de vexer Buloz. Le titre seul suffirait bien [1].

Derrière ces atermoiements, une poétique du récit se dessine, dévoilant la tonalité nostalgique de la promenade sentimentale qu'il compose. Soucieux de ménager l'influent directeur de la *Revue des Deux Mondes*, mais aussi de promouvoir son œuvre, Nerval rappelle que *Sylvie* est emblématique de sa « manière », c'est-à-dire de son style d'écriture : une histoire d'amour révolue à dimension humaine, où la question du temps demeure centrale. Les deux titres assez généraux dont il est question dans la lettre précédemment citée, tournés qu'ils sont vers le passé, hantent Nerval. Au moment où il propose à son éditeur le titre magique des *Filles du Feu*, il songe aussi à un autre titre, plus explicitement nostalgique :

Enfin voyez si le titre suivant ne conviendrait pas mieux.

LES
AMOURS PERDUES
Nouvelles

Ou *Les Amours passées.* Cela me semble rendre bien mieux le sentiment doux du livre et c'est plus littéraire, rappelant un peu *Peines d'amour perdues* de Shakespeare [2].

---

1. Nerval, *Œuvres complètes*, éd. citée, 1984, t. II, p. 1298.
2. Nerval, « Lettre à Daniel Giraud », janvier 1854, dans *Œuvres complètes*, éd. citée, t. III, p. 843.

Les deux premiers titres envisagés pour *Sylvie* rappelaient déjà *Peines d'amour perdues* (*Love's Labours Lost*) de Shakespeare, ce qui rattache la genèse de *Sylvie* au monde du théâtre [1]. Finalement, le récit paraît sous le titre moins mélancolique de *Sylvie*, prénom féminin qui guide le lecteur vers le cœur du Valois. C'est dans *Les Faux Saulniers*, récit publié en 1850 et utilisé par Nerval pour composer *La Bohême galante* et *Les Filles du Feu*, qu'est fournie une explication sur le futur titre de la nouvelle :

> Je comprends ce système, si favorable aux préparations d'un récit… Aussi je ne voyage jamais dans ces contrées sans me faire accompagner d'un ami, que j'appellerai, de son petit nom, Sylvain.
>
> C'est un nom très commun dans cette province – le féminin est le gracieux nom de Sylvie – illustré par un bouquet de bois de Chantilly, dans lequel allait rêver si souvent le poète Théophile de Viau [2].

Une fois encore, l'histoire des lieux et des lettres détermine les choix onomastiques. Sylvie et Sylvain sont en effet associés aux Silvanectes, nom d'une peuplade gauloise implantée dans les vastes zones forestières qui correspondent peu ou prou au Val-d'Oise actuel [3]. L'origine de son prénom fait de Sylvie une incarnation du Valois, enracinée dans la terre de ses ancêtres.

Or, Nerval ne se limite pas à cette archéologie territoriale. L'évocation du poète Théophile de Viau à Chantilly

---

1. Sur l'importance de la source shakespearienne, voir l'article de Monique Streiff-Moretti, « Réflexions sur un faux titre : "*Les Filles du Feu*" », *Gérard de Nerval*, Presses de l'université Paris-Sorbonne, 1997, p. 31 *sq*.
2. Nerval, *Les Faux Saulniers*, dans *Œuvres complètes*, éd. citée, t. II, p. 83.
3. Voir l'article de Michel Roblin, « Les limites de la *civitas* des Silvanectes », *Journal des savants*, vol. 2, n° 2 (1963), p. 65-85.

lie *Sylvie* à la tradition de la pastorale. Nerval, dont l'érudition sur le premier XVIIe siècle était grande, s'est-il souvenu de la tragi-comédie de Mairet, *La Sylvie* (1626), dédiée au duc de Montmorency, qui précéda Condé sur les terres du Valois ? Il connaissait en tout cas « La Maison de Sylvie », ode nostalgique de Théophile de Viau, qui décrit, entre autres, le parc du château de Chantilly :

> Dans ce parc un vallon secret
> Tout voilé de ramages sombres,
> Où le soleil est si discret
> Qu'il n'y force jamais les ombres,
> Presse d'un cours si diligent
> Les flots de deux ruisseaux d'argent
> Et donne une fraîcheur si vive
> À tous les objets d'alentour,
> Que même les martyrs d'amour
> Y trouvent leur douleur captive [1].

La présence de cet intertexte aux accents mélancoliques confirme l'ancrage poétique de la nouvelle dans le Valois et confère au récit de Nerval un surcroît de vérité sensible, tout en inscrivant l'auteur dans le sillage des poètes vagabonds, redécouverts par Théophile Gautier dans *Les Grotesques* (1844) [2] : Racan, Saint-Amant, Théophile de Viau… Nerval s'est-il identifié aux *poetæ minores* du XVIIe siècle exhumés par le « bon Théo » ? Ce qui est certain, c'est qu'en écrivant sa nouvelle il songe aux déceptions que Théophile de Viau a vécues dans le Valois : les souvenirs littéraires renforcent ainsi la puissance évocatoire des lieux aimés de Nerval.

---

1. Théophile de Viau, « La Maison de Sylvie », *Œuvres poétiques*, éd. G. Saba, Bordas, « Classiques Garnier », 1990, p. 302.
2. Sur ce point voir Martine Lavaud, « À propos des *Grotesques* (1844) : Gautier et l'échec littéraire », *Cahiers de l'Association internationale des études françaises*, vol. 55, n° 55 (2003), p. 441-458.

SYLVIE ET LA TRADITION DU ROMAN CHAMPÊTRE

La tradition pastorale trouve un autre écho peu après la publication de *Sylvie.* Dans une lettre à l'illustrateur Maurice Sand, fils de George Sand, Nerval rapproche en effet sa nouvelle du « roman rustique », dont la vogue s'épanouit à partir des années 1835-1840 ; il brosse en quelques lignes l'intrigue de sa fable, pour que le dessinateur prenne ses repères :

> Le sujet est un amour de jeunesse : un Parisien, qui au moment de devenir épris d'une actrice, se met à rêver d'un amour plus ancien pour une fille de village. Il veut combattre la passion dangereuse de Paris, et se rend à une fête dans le pays où est Sylvie – à Loisy, près d'Ermenonville. Il retrouve la belle, mais elle a un nouvel amoureux, lequel n'est autre que le frère de lait du Parisien. C'est une sorte d'idylle dont votre illustre mère est un peu cause par ses bergeries du Berry. J'ai voulu illustrer aussi mon Valois [1].

Sand, modèle de l'esthétique de *Sylvie* ? Il faut peut-être considérer avec précaution l'assimilation de la nouvelle au roman rustique, et lire entre ces lignes, où se devine l'allégeance d'un auteur en quête d'illustrateur. Dans son résumé, Nerval réduit sensiblement son œuvre à une tension (entre Paris et la province) et à la déception d'un amant éconduit. Mais est-ce là tout ? Nulle allusion à Adrienne ni à cette confusion temporelle qui fait le charme du récit et le distingue des romans champêtres et autres « rurodrames [2] ».

---

1. Nerval, « Lettre à Maurice Sand », 5 novembre 1853, dans *Œuvres complètes*, éd. citée, t. III, p. 819.
2. Cette appellation désigne certains romans champêtres que George Sand adapta à la scène (comme *François le Champi*). Voir Olivier Bara, *Le Sanctuaire des illusions*, Presses universitaires de Paris-Sorbonne, 2010.

À bien y regarder en effet, les ressemblances entre l'idylle de Nerval et l'univers de Sand sont fort ténues. Certes, la tradition « folklorique » que véhiculent les chants fournit un substrat romanesque aux histoires du Berry comme à celles du Valois, mais Sand n'atteint jamais la hauteur de la prose poétique de Nerval ni l'émotion tenue, contenue même, que suscitent les réminiscences ou les paysages traversés. L'un laisse la fantaisie gagner le pas sur la reconstitution, là où l'autre expérimente une forme de réalisme aux vertus didactiques et métaphysiques [1]. La langue, enfin, les sépare. Tandis qu'« il faudrait être un peu plus Berrichon pour [...] apprécier les mérites » du style de Sand dans les *Maîtres sonneurs*, « puisque c'est dans cette langue que le roman est écrit », selon un critique de la *Revue des Deux Mondes* [2], la langue du Valois, telle que l'envisage Nerval, est la « vraie langue française [3] ». Rares sont les régionalismes ; les termes locaux (« *Châllepont* », « *l'ieau* ») sont poétisés par l'italique, et surtout expliqués par le narrateur. Les archaïsmes que Nerval distille dans son récit n'appartiennent pas à un patois local. Et pour cause : Nerval distingue le « patois » de la langue de sa province. *Sylvie* est donc bien autre chose que le roman rustique d'un Parisien qui retrouve les paysans de son enfance. L'auteur le sait, qui accorde à sa nouvelle une place de premier ordre dans sa production, au point de l'incorporer à son chef-d'œuvre, *Les Filles du Feu*.

---

1. « *Sylvie* de Gérard de Nerval [...] et *L'Ensorcelée* de Barbey d'Aurevilly ne sont pas de véritables romans champêtres » (Rudolf Zellweger, *Les Débuts du roman rustique en France et en Suisse [1836-1856]*, Genève, Droz, 1941, p. 215).
2. *Revue des Deux Mondes*, 1853. *Les Maîtres sonneurs* paraissent dans *Le Constitutionnel* en feuilleton, entre juin et juillet 1853.
3. *Chansons et légendes du Valois*, *supra*, p. 81.

SYLVIE DANS LE RECUEIL DES *FILLES DU FEU*

Pourquoi Nerval a-t-il intégré *Sylvie* à ce dernier recueil [1] ? Plusieurs documents indiquent que, conscient de la valeur artistique de son récit, il souhaitait le publier séparément, dans un petit format. Dans la lettre qu'il adresse à Maurice Sand, il fournit même la liste des illustrations qu'il aimerait voir figurer dans son volume, preuve de l'attention toute particulière qu'il accorde à cette œuvre :

> J'ai écrit il y a trois ou quatre mois un petit roman qui n'est pas tout à fait un conte. C'est intitulé *Sylvie*, et cela a paru dans la *Revue des Deux Mondes* ; peut-être l'aurez-vous lu. Pardon de vous écrire à propos de cela mais voici le fait : je voudrais faire imprimer *Sylvie* dans un petit livre in-18, avec des illustrations. [...] La nouvelle vous indiquera suffisamment le genre de paysage qui est celui des Watteau et des Lancret. C'est là le genre même, moins sévère que le paysage du Berry, qui donnerait un caractère aux compositions [2].

Ce projet éditorial n'aboutit pas et Nerval intégra finalement sa fille du Valois aux *Filles du Feu*. Comme la majeure partie des textes qui composent le recueil, *Sylvie* n'échappe pas au processus d'édition consistant à reprendre des textes déjà publiés, le plus souvent en en modifiant le titre. Pour *Angélique*, *Sylvie*, *Jemmy*, *Octavie*, *Isis*, *Émilie*, Nerval réemploie en effet un matériau littéraire antérieur, qu'il régénère en choisissant une organisation dans laquelle les six nouvelles et *Les Chimères* se répondent. Loin d'être une pièce rapportée, le texte de

1. Pour une enquête exhaustive sur la genèse des *Filles du Feu*, on se reportera à la présentation de Jacques Bony dans son édition de l'œuvre (GF-Flammarion, 1994).
2. Nerval, « Lettre à Maurice Sand », 5 novembre 1853, dans *Œuvres complètes*, éd. citée, t. III, p. 819.

Sylvie, une fois publié dans le recueil, obéit aux lois de la recomposition.

SYLVIE, UNE HISTOIRE D'AMOUR PARMI D'AUTRES ? LA FONCTION DE L'APPENDICE

Contrairement à tel récit des *Filles du Feu* qui crée l'impression d'être inachevé [1], *Sylvie* est publiée avec un appendice, *Chansons et légendes du Valois*. En adjoignant à *Sylvie* ce texte déjà paru en 1842 sous le titre *Les Vieilles Ballades françaises*, Nerval colore l'ensemble de sa nouvelle d'une teinte sensiblement moins tragique : le récit ne se referme plus sur la révélation de la mort d'Adrienne, mais sur une enquête ethnographique, centrée sur la chanson. Cet appendice peut-il être envisagé comme un complément d'information ou un épilogue ? La technique narrative est ici intéressante, dans la mesure où les *Chansons et légendes du Valois* attirent l'attention sur la transmission d'un patrimoine (celui d'une région) qui s'appuie sur une exemplification très dense (les chansons envahissent littéralement la page). Cette addition n'est pas étrangère à certaines œuvres qui, pour légitimer la fiction (ou brouiller les pistes), ajoutent un texte « sérieux » – pratique dont Nodier et Mérimée, par exemple, sont coutumiers.

Cet ajout brise-t-il le cristal de la fiction pour faire entendre l'éclat de mélodies anciennes, dont Nerval déplore la perte ? C'est bien de cela qu'il s'agit en effet, de la disparition progressive et inévitable d'une culture

---

1. C'est notamment le cas d'*Angélique*, qui reprend le texte des *Faux Saulniers. Histoire de l'abbé de Bucquoy*, paru entre le 24 octobre et le 22 décembre 1850. *Angélique* s'apparente à une quête aporétique. L'histoire de l'abbé de Bucquoy est en effet sans cesse reportée, jamais achevée, la digression l'emportant sur la fable. On reconnaît ici l'influence de Sterne et de Diderot.

« orale ». Aussi ce retour au réel par la chanson n'est-il pas en rupture avec le motif le plus lancinant de *Sylvie*, celui de la perte – des illusions, de la jeunesse, des êtres chers, etc. Selon Jean Guillaume, cet appendice dévoilerait plus précisément l'épicentre de *Sylvie*, le Valois :

> D'un récit qui, le 15 août 1853, se terminait sur la mort d'Adrienne, on passe à une œuvre où les *Souvenirs du Valois* (sous-titre) se prolongent en quelque sorte par les *Chansons et légendes du Valois.* Autant dire que ce dernier terme – Valois – est devenu le fil principal de l'ensemble, au détriment de la confidence ancienne et de sa fin désolée. En effet, au cours du passage de l'édition de 1853 à celle de 1854, la thématique du Valois, où *Sylvie* ne constitue plus qu'une des sept *Filles du Feu*, estompe le personnage d'Adrienne qui dominait *Sylvie* publiée seule en 1853. En 1854, *Sylvie* n'est plus qu'une histoire d'amour parmi d'autres [1].

Lue isolément, la nouvelle est sans doute plus poignante que découverte dans la constellation des *Filles du Feu*. Incluse parmi les six autres histoires d'amour, est-elle pour autant neutralisée ou rendue plus banale ?

L'INTÉGRATION DE *SYLVIE* AU RECUEIL

La place accordée à *Sylvie* dans le recueil laisse penser qu'au contraire Nerval prépare l'entrée en scène de cette singulière fille du Feu, proche de la terre et de la forêt. Dans la dédicace qu'il adresse à Alexandre Dumas, l'auteur sème les premiers cailloux blancs qui conduisent sensiblement le lecteur vers *Sylvie*, la deuxième nouvelle de son recueil, et vers le narrateur qui prend en charge cette fiction. Bien qu'elle n'ait pas le statut affiché de

1. *Nerval, masques et visages*, entretiens de Jean Guillaume avec Jean-Louis Préat, *Études nervaliennes et romantiques*, Presses universitaires de Namur, 1988, t. IX, p. 82.

préface, la dédicace éclaire le projet de Nerval et la place de *Sylvie* : démontrer, par la puissance de la composition, qu'il n'est pas fou ; que sa lucidité, dont il reconnaît volontiers qu'elle est vacillante, lui laisse encore le loisir d'assembler, selon une secrète harmonie, des textes qui se répondent.

À l'intérieur de sa dédicace à Dumas, Nerval raconte d'histoire de Brisacier sous la forme d'une lettre à la première personne, adressée à l'« Étoile ». Comédien de fantaisie qui aurait vécu sous Louis XV, Brisacier peut être assimilé à un artiste maudit. Il est l'amoureux déçu de l'Étoile, Aurélie, figure féminine qui réapparaît dans *Sylvie.* « Pauvre Aurélie, notre compagne, notre sœur, n'auras-tu point regret toi-même à ces temps d'ivresse et d'orgueil ? Ne m'as-tu pas aimé un instant, froide Étoile [1] ? » Brisacier, héroï-comique et tendre, est conscient de jouer le « mauvais rôle » : « On n'essaie pas de parodier les héros de roman, quand on est un héros de tragédie [2] », explique-t-il. Un parallèle peut être effectué avec le chapitre XIII de *Sylvie*, au cours duquel le narrateur prend lui aussi conscience que son rôle de « *seigneur poète* [3] » confine au pathétique, voire au ridicule. Il découvre sous ses yeux qu'Aurélie en aime un autre, vieux Dorante ridé.

Le ton de désenchantement donné par le récit de Brisacier présente en réalité une poétique du récit [4]. La biographie fictive de l'acteur illustre en effet, à sa manière,

---

1. Nerval, *Les Filles du Feu*, éd. citée, p. 77.
2. *Ibid.*, p. 75.
3. Voir *supra*, p. 75.
4. Voir l'article de Gabrielle Chamarat-Malandain, « L'image théâtrale de l'artiste : le Brisacier de Nerval », *Nerval, réalisme et invention*, Orléans, Éditions Paradigme, 1997, p. 39-48.

le processus de construction fictionnelle cher à Nerval. L'histoire insérée de l'acteur Brisacier permet en effet d'éclairer le projet de *Sylvie*, et plus généralement la manière dont Nerval envisage son œuvre : « Inventer au fond, c'est se ressouvenir [1]. » À l'image du narrateur de *Sylvie*, envahi par le souvenir d'un fantôme (celui d'Adrienne), miné par deux échecs (liés à Sylvie et à Aurélie), Brisacier apparaît comme un double de son créateur :

> Une fois persuadé que j'écrivais ma propre histoire, je me suis mis à traduire tous mes rêves, toutes mes émotions, je me suis attendri à cet amour pour une étoile fugitive qui m'abandonnait seul dans la nuit de ma destinée, j'ai pleuré, j'ai frémi des vaines apparitions de mon sommeil [2].

Si le récit de l'« Illustre Brisacier » peut se lire comme l'annonce grotesque des malheurs du narrateur, *Angélique*, première nouvelle du recueil, peut être considérée à bien des égards comme un avant-goût de *Sylvie*. L'histoire de l'abbé de Bucquoy et d'Angélique de Longueval permet en effet à Nerval d'insérer dans les lettres d'*Angélique* maintes réminiscences « valoisiennes », que le lecteur retrouve ensuite dans *Sylvie*. Les quatre dernières lettres (8 à 12) ramènent constamment dans les parages de Senlis et de Chantilly, dont Nerval dessine la carte aux trésors, préparant ainsi son lecteur à visiter les lieux de la poésie intérieure qu'il décrira dans *Sylvie*.

Plus généralement, intégrée à un recueil qui mêle récits et scènes dialoguées, enquêtes et poésies, *Sylvie* participe au travail des genres qu'expérimente Nerval et qui aboutit à cette forme palimpseste qui n'appartient qu'à lui, prose poétique des souvenirs rêvés ou vécus, formes à

---

1. Nerval, *Les Filles du Feu*, éd. citée, p. 73.
2. *Ibid.*, p. 82.

mi-chemin entre la confidence, la rêverie, le témoignage. Qu'on la lise seule ou dans l'écrin noir des *Filles du Feu*, *Sylvie* reste une « œuvre ouverte ». En témoignent deux pages miraculeuses de Nerval, « Voyage au Nord » et « Chantilly », qui figurent dans *Promenades et souvenirs*, publiées dans la troisième livraison de *L'Illustration*, huit jours après sa mort. Dans ces chapitres, il prolonge le livre de *Sylvie*, donnant la possibilité d'entrevoir un sens ouvert à son récit :

> Que le vent enlève ces pages écrites dans des instants de fièvre ou de mélancolie, – peu importe : il en a déjà dispersé quelques-unes, et je n'ai pas le courage de les récrire. En fait de Mémoires, on ne sait jamais si le public s'en soucie, – et cependant je suis du nombre des écrivains dont la vie tient intimement aux ouvrages qui les ont fait connaître [1].

Un sens ouvert, mais aussi une réponse à ses amours défuntes :

> Et maintenant, voilà que je pense à la ballade allemande : *La Fille de l'hôtesse*, et aux trois compagnons dont l'un disait : « Oh ! si je l'avais connue, comme je l'aurais aimée ! » – et le second : « Je t'ai connue et je t'ai tendrement aimée ! » – et le troisième : « Je ne t'ai pas connue… mais je t'aime et t'aimerai pendant l'éternité ! » [2].

---

1. Nerval, *Promenades et souvenirs*, dans *Œuvres complètes*, éd. citée, t. III, p. 685-686.
2. *Ibid.*, p. 690.

2 — *Regards critiques sur* Sylvie

L'exégèse nervalienne a tenté de démêler l'écheveau du temps et de l'espace dans *Sylvie*, non sans se heurter à des apories, non sans susciter débats et lectures divergentes. À la fois transparent et hermétique, le récit semble en effet échapper à toute interprétation univoque, dès lors qu'on explore les rouages d'une chronologie soumise à l'onirisme et aux aléas de la mémoire personnelle de l'auteur. Que l'on déchiffre les signes visibles (horloge, repères temporels précis tels que les saisons, les fêtes), que l'on scrute les marques plus impalpables du temps (impressions fugitives, sensation de revivre ce qui a été vécu, réminiscences plus ou moins conscientes), le récit nervalien présente une conception ductile du temps. Comment dès lors appréhender ce qui peut s'apparenter à une poétisation du vécu ? D'hier à aujourd'hui, la critique a modifié son approche et ses théories ; nous présentons les textes qui suivent chronologiquement pour montrer l'évolution de la lecture critique de *Sylvie*.

UNE CONCEPTION MYSTIQUE DU TEMPS

Albert Béguin, érudit qui fut un pionnier, associe l'angoisse de la quête à une conception religieuse, voire métaphysique du temps, que l'écriture tente de résoudre ; à l'instar d'un de ses modèles allemands, Jean Paul[1],

1. Les cinq sonnets qui forment le cycle « Le Christ aux Oliviers » de Nerval, publiés le 31 mars 1844 dans *L'Artiste*, portent comme sous-titre « Imitation de Jean-Paul ». Dans l'édition des *Chimères*, Nerval

Nerval aurait une conception mystique du temps humain :

« Il y a des années d'angoisses, de rêve, de projets, qui voudraient se presser dans une phrase, dans un mot », lit-on déjà dans une des « Lettres à Aurélia ». Tout ce passé tend à sortir de son agencement fortuit, pour fournir une réponse aux interrogations urgentes de celui qui cherche le sens de la vie. Aussi chaque moment des années écoulées revêt-il une double et triple valeur symbolique ; Nerval raconte à la fois cette transformation du réel en symbole, le cours extérieur de sa maladie, la conquête du pardon accordé à ses fautes, et enfin, tout au fond, le mythe de la rédemption universelle.

La plus visible de ces courbes simultanées décrit la métamorphose d'une image féminine : l'actrice Jenny Colon, Aurélia, devient la médiatrice, Isis, la Vierge. Mais cette histoire se moque du temps : l'évolution accomplie dans les dernières années transforme le passé tout entier, en éclaire jusqu'aux plus lointains souvenirs. L'enfance elle-même de Gérard subit l'influence de cette métamorphose récente, car cette enfance aussi est arrachée à l'enchaînement des jours successifs, libérée de son insertion dans le devenir extérieur, pour n'être plus que l'objet d'une mémoire vivante et en quelque sorte intemporelle. Inscrite dans une seule succession, soumise à la seule loi de la conscience présente et de son anxieuse interrogation, l'époque où Nerval vivait à Mortefontaine entre dans le même mythe que les années de maturité [1].

Au miroir d'une vie

La critique a également tenté de décrypter la temporalité de la nouvelle à la lumière de la vie de Nerval,

supprime cette mention, ne laissant que l'exergue tiré du « Discours du Christ mort » extrait de *Siebenkäs* (1796-1797) de Jean Paul, introduit en France par Mme de Staël.

1. Albert Béguin, *Gérard de Nerval*, © José Corti, 1945, p. 17-18.

confondant parfois le narrateur avec l'auteur, jusqu'à désigner le « petit Parisien » du récit par le prénom Gérard[1]. Certes, *Sylvie* présente une dimension autobiographique évidente, mais le travail du « ressouvenir », tout comme l'application du poète à recomposer les données personnelles, brouille en fait les réponses que semble apporter la vie de Nerval. De là émane sans doute l'impression d'un récit à la fois très intime, touchant par son ton de confidence, et en même temps assez éloigné de la forme autobiographique qui engage la vérité de la parole. Comme le conseille Michel Brix, « on utilisera néanmoins avec prudence les informations sur l'auteur livrées par *Les Filles du Feu*[2] ». En effet, la part biographique ne doit pas faire oublier l'aplat créatif qu'applique Nerval sur son récit. Jean Gaulmier suggère ainsi une lecture de *Sylvie* tournée vers l'« homme Nerval », dont le sentiment du tragique organiserait la structure du récit :

> L'impression dominante qui ressort de cette nouvelle, si on ne se laisse pas uniquement séduire par la grâce du récit, est une lourdeur toujours présente dont chacun des chapitres offre une ou plusieurs images ; l'amour y est toujours déchiré ou, au moins, inquiet. Sylvie est en pleurs lorsqu'elle a vu Gérard couronner Adrienne, et Gérard lui-même trouve dans cet amour « une source de pensées douloureuses » ; quand il retrouve Sylvie qui boude, elle lui offre sa joue d'un air indifférent et il n'a « aucune joie de ce baiser » ; puis c'est la mélancolique scène du déguisement : Gérard n'est pleinement heureux qu'au moment où Sylvie, déguisée, est devenue

1. Jusqu'à la fin de la décennie 1830, Nerval signe la plupart de ses articles de presse « Gérard », ou simplement « G. ». Ainsi, il est parfois difficile de distinguer qui de Gérard ou de Gautier a écrit les articles cosignés « G.G. »...

2. « Notice des *Filles du Feu* », dans Nerval, *Œuvres complètes*, éd. citée, t. III, p. 1174.

une autre – et cette scène plonge la vieille tante dans l'amertume des souvenirs de sa propre jeunesse ; au chapitre IX, Gérard parcourt Montagny où tous les témoins du passé ont disparu, et Nerval donne ce détail d'une tristesse pénétrante : il voit « un chien empaillé qu'il avait connu vivant » ; et la nouvelle se termine par une suite de déceptions.

Cette impression de malaise, allant parfois jusqu'à l'angoisse, révèle l'homme aux prises avec le Temps. De place en place des images évoquent de façon discrète mais insistante la lutte du fils du Feu révolté contre l'écoulement des apparences, à la recherche de l'éternel présent : comparaison d'Aurélie avec les Heures divines qui se découpent, l'étoile au front, sur les « fonds bruns des fresques d'Herculanum », allusion à la belle pendule Renaissance dont « le mouvement n'avait pas été remonté depuis des siècles » qui décore son appartement parisien. Plus loin, dans la maison du garde à Châalis, ce qui frappe Nerval, c'est « une grande horloge dans sa gaine ». Le père Dodu, qui annonce à Gérard le mariage de Sylvie avec le grand frisé, et qui est le symbole ironique de la réalité vulgaire, fabrique des coucous, et jadis, quand Gérard a failli se noyer dans la Thève, sa montre s'est arrêtée [1].

HORS-TEMPS : MYTHES ET LÉGENDES

Dans *Sylvie*, le temps historique est cependant troublé par celui de la légende et du mythe, qui souvent s'enracine dans un passé plus lointain. Les *Chansons et légendes du Valois* soulignent l'importance des traditions dans la constitution de la mythologie personnelle de Nerval. Des mythes lointains – Antiquité, monde celtique – cohabitent avec des légendes historiques – Gabrielle d'Estrées, Henri IV, Biron. Georges Poulet explore

1. Jean Gaulmier, *Gérard de Nerval et les Filles du Feu*, Saint-Genouph, © Nizet, 1956, p. 62-63.

cette mythologie complexe, en montrant comment, dans *Sylvie*, le temps humain prend des dimensions cosmiques :

> Pour Nerval, comme pour les cabalistes et les romantiques allemands, le microcosme, c'est-à-dire l'âme humaine, est identique au macrocosme, c'est-à-dire à l'univers de la création. Prendre conscience de soi, c'est concevoir la nature, et contempler l'idéal, c'est percevoir le monde visible dans ce qu'il a de divin. L'amour que Gérard éprouve, c'est donc d'un côté une ardeur religieuse pour un idéal de beauté qu'il tire entièrement de lui : mais c'est, d'autre part aussi, la découverte ravie ou la recherche anxieuse, dans le domaine des réalités courantes, d'émotions et d'images qui y correspondent.
>
> La construction de *Sylvie* est gouvernée par ces conceptions. D'abord le facteur *temps* s'y trouve éliminé autant que possible. Or nous trouvons dans l'œuvre de Nerval deux passages très importants où il paraît considérer le temps comme un élément hostile ou inférieur. Le premier, qui est une citation de Joseph de Maistre, se trouve dans *Les Illuminés* : « L'homme n'est pas fait pour le temps car le temps est quelque chose de forcé qui ne demande qu'à finir. De là vient que dans nos songes jamais nous n'avons l'idée du temps. » Le second est tiré de l'introduction au *Faust* de 1840 : « Pour lui [le poète] comme pour Dieu sans doute, rien ne finit, ou du moins rien ne se transforme que la matière, et les siècles écoulés se conservent tout entiers à l'état d'intelligences et d'ombres… » Dans le premier de ces passages, Nerval souligne le caractère « forcé » du temps, ou, plus exactement, de la concentration exclusive de l'esprit sur un seul lieu du temps qui est le présent. Pour avoir une pleine conscience de la réalité, au lieu d'accepter cette conscience du présent, il faut s'en affranchir. Cette évasion ne peut avoir lieu que dans le rêve, état où la perception de la réalité est perdue. Le vrai absolu est atteint par l'esprit prophétique, dans une transe poétique, aboutissant à la possession du monde intemporel.

Alors la nature, transposée par le songe, devient la « géographie magique d'une planète inconnue » [1].

SYLVIE DANS SON SIÈCLE

La perspective d'histoire littéraire apporte quant à elle des réponses pragmatiques à la conception du temps dans la fiction. L'écriture du temps vécu dépend aussi du temps historique et des événements qui retentissent sur l'imaginaire du créateur. La seule date fournie par *Sylvie* occupe en effet une place emblématique au dénouement : l'année 1832, celle de la mort d'Adrienne, correspond à une période de crise politique et sociale. Le début de la monarchie de Juillet et du règne de Louis-Philippe déçoit de nombreux Français. Les temps sont inquiets. On redoute l'arrivée de la comète de Biéla ; le choléra fait maintes victimes au printemps [2] ; les funérailles du général Lamarck donnent lieu à de violentes insurrections, des barricades se dressent dans Paris [3]. L'année 1832 est sombre à bien des égards. En se fondant sur cette date, et en la confrontant aux allusions du récit, Gabrielle Chamarat-Malandain, éclaire ainsi l'inscription de *Sylvie* dans son siècle :

> Deux dates apparaissent au miroir l'une de l'autre, au « Dernier feuillet » de Sylvie. La première est donnée par Sylvie, explicitement : c'est celle de la mort d'Adrienne, 1832. La seconde se donne moins facilement à lire, car la narration

1. Georges Poulet, « Sylvie ou la pensée de Nerval », *Trois Essais de mythologie romantique*, © José Corti, 1971, p. 17.
2. Rappelons qu'en 1832 Nerval se destine à la médecine et assiste donc de près à l'épidémie de choléra en soignant les victimes.
3. Ce violent épisode inspirera à Hugo l'un des passages les plus emblématiques des *Misérables*.

opère un brouillage entre le temps de l'énonciation et le temps du récit. Le titre du chapitre et ses premières lignes situent sa temporalité au plus proche d'une écriture ouverte au futur d'une lecture escomptée :

« Telles sont les chimères qui charment et égarent au matin de la vie. J'ai essayé de les fixer sans beaucoup d'ordre, mais bien des cœurs me comprendront. »

Ce présent de l'écriture, celui de la composition de *Sylvie*, 1852-1853, intègre le présent de la narration fictive qui suit et qui doit être référée (les enfants de Sylvie, « ces petits », en témoignent) à un passé intermédiaire, auquel il donne sens.

Le rapprochement entre la date de 1832 et l'« époque étrange comme celles qui succèdent aux lendemains des révolutions » évoquée au chapitre I s'impose de lui-même. C'est le temps du « désenchantement », du retrait des poètes dans « la tour d'ivoire », du choix volontaire de « l'avide curée qui se faisait alors des positions et des honneurs », de l'imaginaire, de la réalité intérieure, subjective, individuelle. La période 1852-1853 représente, on le sait, un autre lendemain de révolutions, et l'ultime abaissement « des grands règnes ». L'étrangeté des événements que viennent de vivre, alors, les écrivains inaugure une période de remise en cause. Vingt ans après, le refuge dans la tour d'ivoire se trouve frappé d'équivoque : nul doute qu'en planant trop au-dessus des réalités historiques et sociales, le « poète » n'ait abdiqué les pouvoirs critiques de la littérature à leur endroit. C'est, entre autres déterminations, dans la prise de conscience de cette abdication suspecte que se constitue ce que l'histoire littéraire appellera « le réalisme » et que Nerval désigne comme « l'école du vrai » dans un texte dont la mise au point s'intercale entre les deux temps de la composition de *Sylvie* : *Les Nuits d'octobre*. Ainsi enchâssées dans la clôture de la nouvelle, les deux dates inscrivent celle-ci dans l'aventure du siècle, dont elle fait retentir les points forts. Elles intéressent, au-delà du « je » qui parle, la génération que le chapitre I rassemble en un « nous » et qui, ayant traversé les mêmes épreuves que le narrateur, est appelée, au chapitre XIV, à partager le sens de son expérience (« bien des cœurs me comprendront »...) [1].

UNE POÉTIQUE DE LA NOSTALGIE

L'écriture du temps dans *Sylvie* reflète l'expérience nervalienne, aux confins des souvenirs et du rêve. La mémoire nervalienne est indissociable de la marche du narrateur, qui se rend d'un point à un autre, s'orientant le plus souvent grâce à des souvenirs d'enfance ou à de plus lointaines réminiscences. Jean-Nicolas Illouz propose ainsi de trouver dans *Sylvie* l'équilibre entre temps rêvé et temps vécu au présent, grâce aux liens que les espaces connus tissent constamment avec les souvenirs qu'ils évoquent :

> Le souvenir, la promenade : les deux dimensions selon lesquelles se déploie l'expérience nervalienne – celle de l'espace et celle du temps, toutes deux déjà rassemblées dans le soustitre : *Souvenirs du Valois* – s'équilibrent dans *Sylvie* de part et d'autre du chapitre VII, au centre de la nouvelle et comme au point de leur exact « épanchement » : d'abord (du chapitre I à VII) le souvenir évoque d'anciennes promenades au pays de l'enfance, ensuite (du chapitre VII au chapitre XIV) la promenade sur les mêmes lieux que ceux rappelés dans le souvenir ravive les souvenirs d'enfance disparus. Dans ces jeux de « vases communicants », la perte se redéploie tour à tour selon la dimension du temps dans le « creusement du ressouvenir », et selon la dimension de l'espace dans l'égarement de la promenade ; mais elle ne peut jamais être posée comme telle – si ce n'est *in extremis*, à la fin du récit, par la

1. Gabrielle Chamarat-Malandain, « Sylvie, "Dernier Feuillet" », *Nerval, réalisme et invention*, Orléans, © Éditions Paradigme, 1997, p. 80-81.

mention soudaine du lieu (mais aussitôt gommée : « le couvent de Saint-S... ») et de la date (mais seulement approximative : « vers 1832 ») de la mort d'Adrienne [1].

La tentative de Nerval dans *Sylvie* ne procède-t-elle pas *in fine* d'une volonté syncrétique de relier les temps ? C'est alors vers un Nerval romantique qu'il faut se tourner pour comprendre *Sylvie*, dont Corinne Bayle décrit et analyse la dynamique paradoxale, qui confronte l'espoir de retrouver un bonheur perdu à l'étau de la mélancolie qui enserre celui qui se risque à marcher dans les pas de son enfance :

> Au cœur de l'expérience nervalienne, la mélancolie et l'aspiration au bonheur se combattent et se complètent. L'alternance d'excitation et de dépression, de violence, d'exaltation, de mégalomanie et de désespoir n'empêchait pas une sorte de docilité, de douceur, de passivité dont ont témoigné médecins et amis, ainsi que la correspondance de Nerval. Dans *Sylvie*, cette cyclothymie prend une expression littéraire très fine, entre émotion et ironie. La tristesse est attachée à une série d'événements, sans doute, personnels au poète, mais, dans le texte, la quête du bonheur vient contrarier la progression de la tristesse, et cette dialectique offre un dynamisme particulier, car la joie est goûtée dans l'évocation de moments passés et qui ne reviendront plus. En effet, *Sylvie* est une méditation nostalgique sur le bonheur entrevu jadis et qu'on n'a pas su saisir. Dans ce récit, le plaisir d'être en des lieux aimés et de revoir des personnes chères est miné irrémédiablement par la conscience de l'impossibilité du retour. Les impressions qui en restent sont de douces chimères [2].

---

1. Jean-Nicolas Illouz, *Nerval, le « rêveur en prose ». Imaginaire et écriture*, © PUF, « Écrivains », 1997, p. 59.

2. Corinne Bayle, *Gérard de Nerval : la marche à l'étoile*, Seyssel, © Champ Vallon, 2001, p. 126.

Toutes ces approches critiques abordent *Sylvie* en soulignant l'effort de composition de Nerval, et finalement la quête douloureuse de l'auteur à travers son personnage-narrateur. Le jeu de la fiction et de la vérité du vécu, si sensible dans le récit, lui confère aussi son identité romantique. Si l'on a souvent lu dans *Sylvie* la prémonition des formes modernes du roman, on peut aussi penser que la nouvelle, par son obsédante quête de sens, est la dernière œuvre emblématique du romantisme. C'est dans le rapport au temps, à sa motilité, que s'affirme une écriture en quête de sens, inscrite dans son temps et dans son siècle. La mélancolie légèrement souriante du récit coïncide ainsi avec une perception trouble du temps et confère au récit son identité romantique, ultime manifestation du désenchantement de 1830 dont *Sylvie* est, peut-être, le chant du cygne.

3 — *Le temps vécu : un questionnement romantique*

Nerval, fils de l'Empire et « rêveur en prose »

Né en 1808, Gérard de Nerval appartient à la génération désenchantée que décrit Musset dans les premières pages de *La Confession d'un enfant du siècle.* Une génération née durant les guerres de l'Empire, qui a grandi dans l'ombre portée du grand homme, Napoléon :

> Pendant les guerres de l'Empire, tandis que les maris et les frères étaient en Allemagne, les mères inquiètes avaient mis au monde une génération ardente, pâle, nerveuse. Conçus entre deux batailles, élevés dans les collèges aux roulements des tambours, des milliers d'enfants se regardaient entre eux d'un œil sombre, en essayant leurs muscles chétifs. De temps en temps leurs pères ensanglantés apparaissaient, les soulevaient sur leurs poitrines chamarrées d'or, puis les posaient à terre et remontaient à cheval [1].

L'identité du « moi romantique » se constitue autour d'une conscience nouvelle du temps, conséquence des épisodes historiques majeurs qui ont vu naître le XIXe siècle : Révolution, Terreur, guerres de l'Empire. Le sentiment de désillusion naît d'abord de l'idée que l'histoire lamine les destins, comme en témoigne, par exemple, l'intrigue du drame *Léo Burckart*, représenté en 1839.

---

1. Musset, *La Confession d'un enfant du siècle*, Ire partie, chap. II, éd. Sylvain Ledda, GF-Flammarion, 2010, p. 60.

Nerval, comme Hugo et Dumas, est fils de l'Empire. Son père, le docteur Labrunie, exerça ses fonctions dans les rangs de la Grande Armée. Quant à sa mère, Marie-Antoinette Laurent, elle mourut en 1810 en Silésie, alors qu'elle accompagnait son époux au front. L'expérience tragique de l'orphelin est donc étroitement liée à ces épisodes belliqueux ; fervent admirateur de Bonaparte, Nerval fut d'emblée marqué par la rencontre de la mort et de l'implacable « Histoire en marche ». L'épisode de la mort de sa mère a suspendu le temps de l'enfance. Bien qu'on ait rapporté l'épisode au jeune Gérard, qui n'avait que deux ans quand sa mère disparut, l'image revient de manière récurrente dans l'œuvre, comme une fixation originelle à partir de laquelle se serait constituée une partie de la conception nervalienne du temps.

La rencontre entre les souvenirs qu'on lui a racontés et l'idéalisation d'une mère qu'il n'a pas connue fait naître une perception lyrique et tragique du temps. Nerval explique ainsi sa vocation d'écrivain en se plongeant dans son enfance :

> Je n'ai jamais vu ma mère, ses portraits ont été perdus ou volés ; je sais seulement qu'elle ressemblait à une gravure du temps, d'après Prud'hon ou Fragonard, qu'on appelait *La Modestie.* La fièvre dont elle est morte [1] m'a saisi trois fois, à des époques qui forment dans ma vie des divisions singulières, périodiques. Toujours, à ces époques, je me suis senti l'esprit frappé des images de deuil et de désolation qui ont entouré mon berceau. Les lettres qu'écrivait ma mère des bords de la Baltique, ou des rives de la Sprée ou du Danube, m'avaient été lues tant de fois ! Le sentiment du merveilleux, le goût des voyages lointains ont été sans doute pour moi le

1. La mère de Nerval est morte des suites d'une mauvaise fièvre. Nerval a été hanté sa vie durant par l'idée que sa mère aurait contracté son mal en traversant un pont jonché de cadavres.

résultat de ces impressions premières, ainsi que du séjour que j'ai fait longtemps dans une campagne isolée au milieu des bois. Livré souvent aux soins des domestiques et des paysans, j'avais nourri mon esprit de croyances bizarres, de légendes et de vieilles chansons. Il y avait là de quoi faire un poète, et je ne suis qu'un rêveur en prose [1].

L'ÉCOLE DU DÉSENCHANTEMENT, OU LE PASSÉ AU SECOURS DU PRÉSENT

« Rêveur en prose », Nerval est aussi poète et prosateur de l'« école du désenchantement », expression de Balzac désignant un mouvement de pensée qui jugea les années 1830 à l'aune d'espoirs déçus par l'histoire et la politique. Dans son essai *L'École du désenchantement*, Paul Bénichou accorde en effet une place originale à Nerval, montrant à quel point il était réceptif aux ondulations de l'histoire, tout en fabriquant une œuvre qui aboutirait aux ultimes créations (et recréations) : « Les recueils que Gérard a publiés successivement depuis *Les Faux Saulniers* sont imprégnés dans leur désordre d'un air de nostalgie et de réminiscence : ainsi les *Petits Châteaux*, ainsi surtout *Les Filles du Feu* [2]. » Certes, on peut considérer les dernières œuvres de Nerval comme la traînée scintillante du romantisme, mais il ne faut pas oublier non plus que Nerval enracine son récit dans les années 1830 et dans cette « époque étrange » qui correspond, *mutatis mutandis*, au moment du Petit-Doyenné (1834-1836). Ce groupe d'artistes bohèmes, qui se

1. Nerval, *Promenades et souvenirs*, dans *Œuvres complètes*, éd. citée, t. III, p. 680.
2. Paul Bénichou, *L'École du désenchantement*, Gallimard, 1992, p. 259.

réunissait dans l'atelier de Jehan Duseigneur, prônait la liberté pour l'art et les artistes, revendiquant la fantaisie comme principe créatif. Pour Nerval, c'est l'époque de *La Bohême galante*, mais aussi de la passion amoureuse pour l'actrice Jenny Colon, à qui il consacrera sa fortune en créant l'éphémère *Monde dramatique* tout à la gloire de son égérie. Cet enracinement bohème est l'une des composantes de l'univers nervalien, dont on retrouve les traces et le souvenir dans *Sylvie.* Telle est l'« époque étrange » qu'évoque Nerval dans le chapitre « Nuit perdue ».

Puisque le présent est vécu comme décevant, les écrivains romantiques s'évertuent à faire renaître le passé afin de mieux comprendre leur monde. L'histoire des siècles anciens et la forme intemporelle des légendes sont investies par la littérature. Nerval, dès les années 1830, revient vers un passé légendaire ou mythique, qu'il confronte souvent à un temps historique ou personnel. À cet égard, le poème « Fantaisie » emblématise la rencontre entre temps vécu et temporalité légendaire, le « je » désignant à la fois le poète et les « figures » auxquelles il s'identifie :

> Il est un air, pour qui je donnerais
> Tout Rossini, tout Mozart et tout Wèbre,
> Un air très vieux, languissant et funèbre,
> Qui pour moi seul a des charmes secrets.
>
> Or, chaque fois que je viens à l'entendre,
> De deux cents ans mon âme rajeunit...
> C'est sous Louis treize – et je crois voir s'étendre
> Un coteau vert, que le couchant jaunit ;
>
> Puis un château de brique à coins de pierre,
> Aux vitraux teints de rougeâtres couleurs,
> Ceint de grands parcs, avec une rivière
> Baignant ses pieds, qui coule entre les fleurs.

Puis une dame à sa haute fenêtre,
Blonde aux yeux noirs, en son costume ancien,
Que dans une autre existence peut-être
J'ai déjà vue et dont je me souviens[1] !

ÉCRIRE LE SOUVENIR

De Chateaubriand à Nerval, le questionnement sur l'existence vécue implique en partie un traitement littéraire nouveau de la mémoire. Des formes et des genres qui existaient déjà à l'époque classique sont revisités par les romantiques. Mémoires, anecdotes, confessions et autres souvenirs sont marqués par la subjectivité des auteurs. L'écriture fait l'expérience de la mémoire ; écrire le souvenir, le temps passé et les « amours perdues » forme autant de motifs communs aux écrivains de la génération postrévolutionnaire. Une telle introspection suscite une langue lyrique, en vers comme en prose. L'admiration des ruines, dans l'extrait suivant des *Mémoires d'outre-tombe*, appelle une méditation sur l'histoire. Mais cette perception des événements est soudain traversée par un souvenir qui procède de la mémoire involontaire :

> Depuis la dernière date de ces *Mémoires*, Vallée-aux-Loups, janvier 1814, jusqu'à la date d'aujourd'hui, Montboissier, juillet 1817, trois ans et six mois se sont passés. Avez-vous entendu tomber l'Empire ? Non : rien n'a troublé le repos de ces lieux. L'Empire s'est abîmé pourtant ; l'immense ruine s'est écroulée dans ma vie, comme ces débris romains renversés dans le cours d'un ruisseau ignoré.
>
> Mais à qui ne les compte pas peu importent les événements : quelques années échappées des mains de l'Éternel feront justice de tous ces bruits par un silence sans fin.

1. Nerval, *Odelettes*, dans *Œuvres complètes*, éd. citée, 1989, t. I, p. 339.

Le livre précédent fut écrit sous la tyrannie expirante de Bonaparte et à la lueur des derniers éclairs de sa gloire : je commence le livre actuel sous le règne de Louis XVIII. J'ai vu de près les rois, et mes illusions politiques se sont évanouies, comme ces chimères plus douces dont je continue le récit. Disons d'abord ce qui me fait reprendre la plume : le cœur humain est le jouet de tout, et l'on ne saurait prévoir quelle circonstance frivole cause ses joies et ses douleurs. Montaigne l'a remarqué : « Il ne faut point de cause, dit-il, pour agiter notre âme : une resverie sans cause et sans subject la régente et l'agite [1]. »

Je suis maintenant à Montboissier, sur les confins de la Beauce et du Perche. Le château de cette terre, appartenant à Mme la comtesse de Colbert-Montboissier, a été vendu et démoli pendant la Révolution ; il ne reste que deux pavillons, séparés par une grille et formant autrefois le logement du concierge. Le parc, maintenant à l'anglaise, conserve des traces de son ancienne régularité française : des allées droites, des taillis encadrés dans des charmilles, lui donnent un air sérieux ; il plaît comme une ruine.

Hier au soir je me promenais seul ; le ciel ressemblait à un ciel d'automne ; un vent froid soufflait par intervalles. À la percée d'un fourré, je m'arrêtai pour regarder le soleil : il s'enfonçait dans des nuages au-dessus de la tour d'Alluye, d'où Gabrielle, habitante de cette tour, avait vu comme moi le soleil se coucher il y a deux cents ans. Que sont devenus Henri et Gabrielle ? Ce que je serai devenu quand ces *Mémoires* seront publiés.

Je fus tiré de mes réflexions par le gazouillement d'une grive perchée sur la plus haute branche d'un bouleau. À l'instant, ce son magique fit reparaître à mes yeux le domaine paternel. J'oubliai les catastrophes dont je venais d'être le témoin, et, transporté subitement dans le passé, je revis ces campagnes où j'entendis si souvent siffler la grive. Quand je l'écoutais alors, j'étais triste de même qu'aujourd'hui. Mais

---

1. Chateaubriand cite ici un extrait des *Essais* de Montaigne (III, 4).

cette première tristesse était celle qui naît d'un désir vague de bonheur, lorsqu'on est sans expérience ; la tristesse que j'éprouve actuellement vient de la connaissance des choses appréciées et jugées. Le chant de l'oiseau dans les bois de Combourg m'entretenait d'une félicité que je croyais atteindre ; le même chant dans le parc de Montboissier me rappelait des jours perdus à la poursuite de cette félicité insaisissable. Je n'ai plus rien à apprendre, j'ai marché plus vite qu'un autre, et j'ai fait le tour de la vie. Les heures fuient et m'entraînent ; je n'ai pas même la certitude de pouvoir achever ces *Mémoires.* Dans combien de lieux ai-je déjà commencé à les écrire, et dans quel lieu les finirai-je ? Combien de temps me promènerai-je au bord des bois ? Mettons à profit le peu d'instants qui me restent ; hâtons-nous de peindre ma jeunesse, tandis que j'y touche encore : le navigateur, abandonnant pour jamais un rivage enchanté, écrit son journal à la vue de la terre qui s'éloigne et qui va bientôt disparaître [1].

La conscience du temps que fait surgir le souvenir d'enfance donne lieu à une méditation sur le cours de la vie. Le romantisme, dans son désir de relativiser l'harmonie du monde, croit en l'expérience intime et personnelle. Aussi accorde-t-il une place déterminante à l'effet produit par l'amour et ses passions sur la perception du temps humain. Dans *Adolphe*, roman publié en 1816, Benjamin Constant puise dans son vécu pour décrire les étapes d'un amour impossible. De la dilection à la déréliction, l'écriture tente de comprendre comment le temps s'étend et parfois se fige, cristallisant à jamais l'instant heureux. Si bref soit-il, ce moment magique, où la conscience de l'amour domine toute autre forme de perception, confère profondeur et densité au temps :

---

1. Chateaubriand, *Mémoires d'outre-tombe*, Ire partie, livre III, chap. I, éd. Maurice Levaillant et Georges Moulinier, Gallimard, « Bibliothèque de la Pléiade », 1951, p. 76.

Je passai quelques heures à ses pieds, me proclamant le plus heureux des hommes, lui prodiguant mille assurances de tendresse, de dévouement et de respect éternel. Elle me raconta ce qu'elle avait souffert en essayant de s'éloigner de moi ; que de fois elle avait espéré que je la découvrirais malgré ses efforts ; comment le moindre bruit qui frappait ses oreilles lui paraissait annoncer mon arrivée ; quel trouble, quelle joie, quelle crainte elle avait ressentis en me revoyant ; par quelle défiance d'elle-même, pour concilier le penchant de son cœur avec la prudence, elle s'était livrée aux distractions du monde, et avait recherché la foule qu'elle fuyait auparavant. Je lui faisais répéter les plus petits détails, et cette histoire de quelques semaines nous semblait être celle d'une vie entière. L'amour supplée aux longs souvenirs, par une sorte de magie. Toutes les autres affections ont besoin du passé : l'amour crée, comme par enchantement, un passé dont il nous entoure. Il nous donne, pour ainsi dire, la conscience d'avoir vécu, durant des années, avec un être qui naguère nous était presque étranger. L'amour n'est qu'un point lumineux, et néanmoins il semble s'emparer du temps. Il y a peu de jours qu'il n'existait pas, bientôt il n'existera plus ; mais, tant qu'il existe, il répand sa clarté sur l'époque qui l'a précédé, comme sur celle qui doit le suivre [1].

PÈLERINAGES ROMANTIQUES

Certains chapitres de *Sylvie*, en particulier « Ermenonville », prennent la forme d'un pèlerinage [2], où les réminiscences personnelles rivalisent avec la mémoire littéraire des lieux. À l'époque romantique, le pèlerinage sacralise les lieux hantés par l'art ou par les artistes. Ainsi, le

1. Constant, *Adolphe*, éd. Sylvain Ledda, Gallimard, « Folioplus », 2008, p. 41-42.
2. Voir Présentation, p. XVII et XXIX.

compositeur Franz Liszt compose *Les Années de pèlerinage*, cycle pour piano qui fait la part belle aux décors d'Italie et de Suisse, mais surtout à tout l'imaginaire littéraire qu'évoquent les paysages. Moment de rencontre des chers disparus et des lieux chéris, le pèlerinage romantique est très souvent un retour sur soi-même. L'un des premiers pèlerinages littéraires naît d'ailleurs à la fin du XVIIIe siècle, la tombe de Rousseau attire à l'époque maints nostalgiques. La prégnance du Genevois dans le récit nervalien rappelle que le premier des rêveurs en prose a fait des émules parmi la génération de Nerval, donnant lieu à un véritable culte. Dans ses *Nouvelles*, Musset convoque ainsi Rousseau dès qu'il s'agit d'insister sur la gravité triste qui émane d'un paysage.

> Si elle n'était pas à la basse-cour, il fallait alors, pour la rencontrer, gagner au fond du parc un petit tertre vert au milieu des rochers : c'était un vrai désert d'enfant, comme celui de Rousseau à Ermenonville, trois cailloux et une bruyère ; là, assise à l'ombre, elle chantait à haute voix en lisant les *Oraisons funèbres* de Bossuet, ou tout autre ouvrage aussi grave [1].

À Ermenonville, Nerval perçoit la présence de Rousseau dans le décor et en fait l'un des signes les plus sensibles de sa nostalgie littéraire. Alphonse de Lamartine fait également revivre Rousseau à Chambéry, au cours d'un voyage avec Julie Charles. Le poète du *Lac* associe aux réminiscences littéraires le souvenir douloureux de ses amours mortes.

> Nous voulions, avant de quitter Chambéry et sa chère vallée, aller visiter ensemble la petite maison de Jean-Jacques Rousseau et de Mme de Warens, aux Charmettes. Un

---

1. Musset, « Emmeline », *Nouvelles*, éd. Sylvain Ledda, GF-Flammarion, 2010, p. 66.

paysage n'est qu'un homme ou une femme. Qu'est-ce que Vaucluse sans Pétrarque ? qu'est-ce que Sorrente sans le Tasse ? qu'est-ce que la Sicile sans Théocrite ? qu'est-ce que le Paraclet sans Héloïse ! qu'est-ce qu'Annecy sans Mme de Warens ? qu'est-ce que Chambéry sans Jean-Jacques Rousseau ? ciel sans rayons, voix sans échos, sites sans âmes. L'homme n'anime pas seulement l'homme, il anime toute une nature. Il emporte une immortalité avec lui dans le ciel, il en laisse une autre dans les lieux qu'il a consacrés. En cherchant sa trace on la retrouve et l'on converse réellement avec lui.

Nous prîmes avec nous le volume des *Confessions* dans lequel le poète des Charmettes décrit cette retraite champêtre. Rousseau y fut jeté par les premiers naufrages de sa destinée, recueilli dans le sein d'une femme jeune, belle, aventureuse, naufragée comme lui. Cette femme semblait avoir été composée exprès par la nature, de vertus et de faiblesses, de sensibilité et d'inconséquence, de dévotion et d'indépendance d'esprit, pour couver l'adolescence de ce génie étrange dont l'âme contenait à la fois un sage, un amant, un philosophe, un législateur et un fou. Une autre femme eût peut-être fait éclore une autre vie. On retrouve tout entière dans un homme la première femme qu'il a aimée. Heureux celui qui eût rencontré Mme de Warens avant sa profanation. C'était une idole adorable, mais cette idole avait été souillée. Elle ravalait elle-même le culte qu'une âme neuve et amoureuse lui rendait. Les amours de ce jeune homme et de cette femme sont une page de *Daphnis et Chloé* arrachée du livre et retrouvée tachée et salie sous les pieds d'une courtisane.

N'importe, c'était le premier amour ou le premier délire de ce beau jeune homme. Le lieu où cet amour naquit ; la tonnelle où Rousseau fit ses premiers aveux ; la chambre où il rougit de ses premières émotions ; la cour où le disciple se glorifiait de descendre aux plus humbles travaux du corps, pour servir son amante dans sa protectrice ; les châtaigniers épars à l'ombre desquels ils s'asseyaient ensemble, pour parler de Dieu en entrecoupant de fous rires et de caresses

> enfantines ces théologies enjouées ; leurs deux figures si bien encadrées dans tout ce paysage, si bien confondues dans cette nature sauvage comme eux ; tout cela a pour les poètes, pour les philosophes et pour les amants un attrait caché mais profond. On ne s'en rend pas raison même en y cédant. Pour les poètes, c'est la première page de cette âme qui fut un poème ; pour les philosophes, c'est le berceau d'une révolution ; pour les amants, c'est le nid d'un premier amour [1].

Le pèlerinage s'accompagne également d'une recherche de l'expressivité langagière qui s'accomplit parfois dans le silence. Le romantisme dévie ainsi la fonction première du pèlerinage, en sacralisant non plus les lieux de dévotion religieuse, mais les endroits marqués du sceau d'un souvenir personnel. Non sans une forme de dolorisme, il aime à ressusciter les « affects » d'un paysage connu. On a pu ainsi parler du « culte des souvenirs » à propos de Nerval, mais aussi de Musset ou de Lamartine. Ce dernier construit une partie de son œuvre sur son attachement au passé, et sur la dimension quasi religieuse qu'il accorde aux lieux traversés. En témoignent, par exemple, les vers du « Premier regret » :

> Sur la plage sonore où la mer de Sorrente
> Déroule ses flots bleus aux pieds de l'oranger,
> Il est, près du sentier, sous la haie odorante,
> Une pierre petite, étroite, indifférente
> Aux pas distraits de l'étranger !
>
> La giroflée y cache un seul nom sous ses gerbes.
> Un nom que nul écho n'a jamais répété !
> Quelquefois seulement le passant arrêté,
> Lisant l'âge et la date en écartant les herbes,
> Et sentant dans ses yeux quelques larmes courir,
> Dit : Elle avait seize ans ! c'est bien tôt pour mourir !

---

1. Alphonse de Lamartine, *Raphaël. Pages de la vingtième année*, éd. Aurélie Loiseleur, Le Livre de Poche, 2011, p. 131-132.

Mais pourquoi m'entraîner vers ces scènes passées ?
Laissons le vent gémir et le flot murmurer ;
Revenez, revenez, ô mes tristes pensées !
Je veux rêver et non pleurer !

Dit : Elle avait seize ans ! – Oui, seize ans ! et cet âge
N'avait jamais brillé sur un front plus charmant !
Et jamais tout l'éclat de ce brûlant rivage
Ne s'était réfléchi dans un œil plus aimant !
Moi seul, je la revois, telle que la pensée
Dans l'âme où rien ne meurt, vivante l'a laissée ;
Vivante ! comme à l'heure où les yeux sur les miens,
Prolongeant sur la mer nos premiers entretiens,
Ses cheveux noirs livrés au vent qui les dénoue,
Et l'ombre de la voile errante sur sa joue,
Elle écoutait le chant du nocturne pêcheur,
De la brise embaumée aspirait la fraîcheur,
Me montrait dans le ciel la lune épanouie
Comme une fleur des nuits dont l'aube est réjouie,
Et l'écume argentée ; et me disait : Pourquoi
Tout brille-t-il ainsi dans les airs et dans moi ?
Jamais ces champs d'azur semés de tant de flammes,
Jamais ces sables d'or où vont mourir les lames,
Ces monts dont les sommets tremblent au fond des cieux,
Ces golfes couronnés de bois silencieux,
Ces lueurs sur la côte, et ces champs sur les vagues,
N'avaient ému mes sens de voluptés si vagues !
Pourquoi comme ce soir n'ai-je jamais rêvé ?
Un astre dans mon cœur s'est-il aussi levé ?
Et toi, fils du matin ! dis, à ces nuits si belles
Les nuits de ton pays, sans moi, ressemblaient-elles ?
Puis regardant sa mère assise auprès de nous
Posait pour s'endormir son front sur ses genoux.

Mais pourquoi m'entraîner vers ces scènes passées ?
Laissons le vent gémir et le flot murmurer ;

Revenez, revenez, ô mes tristes pensées !
Je veux rêver et non pleurer [1] !

Le retour dans le passé se colore, à l'époque romantique, d'une teinte souvent littéraire. Les lieux sont associés aux artistes qui les ont traversés et prennent ainsi une valeur exemplaire. À Venise, Musset marche dans les pas de Titien et de Michel-Ange ; à Anvers, le personnage de Tiburce de *La Toison d'or* croise le souvenir de Rubens. Dans *Sylvie*, Nerval brosse le tableau d'une fête champêtre en se souvenant du peintre Antoine Watteau.

L'OUBLI DES SOUVENIRS

Le retour aux sources, familiales ou littéraires, n'a pas toujours les vertus conciliatrices et consolatrices que peint la prose lyrique de Lamartine. Dans *On ne badine pas avec l'amour*, Musset décrit quels effets déchirants provoque le retour au pays natal pour ceux qui ne vouent pas le même culte au passé. Ainsi, Perdican croit retrouver en sa cousine Camille la jeune fille qui partageait son enfance. Il regarde le paysage inchangé, mais ne peut communiquer sa nostalgie à Camille qui dénie les souvenirs communs. C'est alors le rapport au temps vécu – la distance qui sépare les souvenirs d'enfance du présent du dialogue – qui creuse un abîme infranchissable entre les deux protagonistes :

Entrent Camille et Perdican.

PERDICAN. – Sais-tu que cela n'a rien de beau, Camille, de m'avoir refusé un baiser ?

CAMILLE. – Je suis comme cela ; c'est ma manière.

1. *Harmonies poétiques et religieuses*, Paris, Hachette, 1869, p. 244.

PERDICAN. – Veux-tu mon bras pour faire un tour dans le village ?

CAMILLE. – Non, je suis lasse.

PERDICAN. – Cela ne te ferait pas plaisir de revoir la prairie ? Te souviens-tu de nos parties sur le bateau ? Viens, nous descendrons jusqu'aux moulins ; je tiendrai les rames, et toi le gouvernail.

CAMILLE. – Je n'en ai nulle envie.

PERDICAN. – Tu me fends l'âme. Quoi ! pas un souvenir, Camille ? pas un battement de cœur pour notre enfance, pour tout ce pauvre temps passé, si bon, si doux, si plein de niaiseries délicieuses ? Tu ne veux pas venir voir le sentier par où nous allions à la ferme ?

CAMILLE. – Non, pas ce soir.

PERDICAN. – Pas ce soir ! et quand donc ? Toute notre vie est là.

CAMILLE. – Je ne suis pas assez jeune pour m'amuser de mes poupées, ni assez vieille pour aimer le passé.

PERDICAN. – Comment dis-tu cela ?

CAMILLE. – Je dis que les souvenirs d'enfance ne sont pas de mon goût.

PERDICAN. – Cela t'ennuie ?

CAMILLE. – Oui, cela m'ennuie.

PERDICAN. – Pauvre enfant ! je te plains sincèrement.

Ils sortent chacun de leur côté [1].

---

1. Musset, *On ne badine pas avec l'amour*, I, 3, dans *Théâtre complet*, éd. Simon Jeune, Gallimard, « Bibliothèque de la Pléiade », 1990, p. 262.

4 — *Dans le sillage de* Sylvie *:* *écriture et mémoire au* XX*e* *siècle*

Nerval, modèle de Proust

Sans parler de véritables récritures de *Sylvie* au XXe siècle, maintes œuvres littéraires se situent dans le sillage de la nouvelle de Nerval, qui offre la particularité d'explorer plusieurs consciences du temps : temps vécu, temps imbriqué dans un passé lointain, présent contaminé par le souvenir. Considéré comme un récit qui annonce la déstructuration romanesque des années 1950, *Sylvie* fascina bien des auteurs du XXe siècle, au premier rang desquels Marcel Proust, dont *À la recherche du temps perdu* doit beaucoup à l'écriture mnémonique de Nerval, tel le phénomène de mémoire involontaire qui ouvre des pans entiers du passé. La *Recherche*, en invitant son lecteur aux vertiges des souvenirs, met en scène les images involontaires que font naître les petits événements de la vie. Rendant indirectement hommage au « vert paradis des amours enfantines », le narrateur de *Du côté de chez Swann* se souvient ainsi de son amour pour Gilberte en se rappelant le jour où elle l'a appelé par son nom.

> Et il y eut un jour aussi où elle me dit : « Vous savez, vous pouvez m'appeler Gilberte, en tout cas moi, je vous appellerai par votre nom de baptême. C'est trop gênant. » Pourtant elle continua encore un moment à se contenter de me dire « vous », et comme je le lui faisais remarquer, elle sourit, et composant, construisant une phrase comme celles qui dans

les grammaires étrangères n'ont d'autre but que de nous faire employer un mot nouveau, elle la termina par mon petit nom. Et me souvenant plus tard de ce que j'avais senti alors, j'y ai démêlé l'impression d'avoir été tenu un instant dans sa bouche, moi-même, nu, sans plus aucune des modalités sociales qui appartenaient aussi, soit à ses autres camarades, soit, quand elle disait mon nom de famille, à mes parents, et dont ses lèvres – en l'effort qu'elle faisait, un peu comme son père, pour articuler les mots qu'elle voulait mettre en valeur – eurent l'air de me dépouiller, de me dévêtir, comme de sa peau un fruit dont on ne peut avaler que la pulpe, tandis que son regard, se mettant au même degré nouveau d'intimité que prenait sa parole, m'atteignait aussi plus directement, non sans témoigner la conscience, le plaisir et jusque la gratitude qu'il en avait, en se faisant accompagner d'un sourire.

Mais au moment même, je ne pouvais apprécier la valeur de ces plaisirs nouveaux. Ils n'étaient pas donnés par la fillette que j'aimais, au moi qui l'aimait, mais par l'autre, par celle avec qui je jouais, à cet autre moi qui ne possédait ni le souvenir de la vraie Gilberte, ni le cœur indisponible qui seul aurait pu savoir le prix d'un bonheur, parce que seul il l'avait désiré. Même après être rentré à la maison je ne les goûtais pas, car chaque jour, la nécessité qui me faisait espérer que le lendemain j'aurais la contemplation exacte, calme, heureuse de Gilberte, qu'elle m'avouerait enfin son amour, en m'expliquant pour quelles raisons elle avait dû me le cacher jusqu'ici, cette même nécessité me forçait à tenir le passé pour rien, à ne jamais regarder que devant moi, à considérer les petits avantages qu'elle m'avait donnés non pas en eux-mêmes et comme s'ils se suffisaient, mais comme des échelons nouveaux où poser le pied, qui allaient me permettre de faire un pas de plus en avant et d'atteindre enfin le bonheur que je n'avais pas encore rencontré.

Si elle me donnait parfois de ces marques d'amitié, elle me faisait aussi de la peine en ayant l'air de ne pas avoir de plaisir à me voir, et cela arrivait souvent les jours mêmes sur lesquels j'avais le plus compté pour réaliser mes espérances. J'étais sûr que Gilberte viendrait aux Champs-Élysées et j'éprouvais une allégresse qui me paraissait seulement la vague anticipation d'un grand bonheur quand – entrant dès le matin au salon pour embrasser maman déjà toute prête, la tour de ses cheveux noirs entièrement construite, et ses belles mains blanches et potelées sentant encore le savon – j'avais appris, en voyant une colonne de poussière se tenir debout toute seule au-dessus du piano, et en entendant un orgue de Barbarie jouer sous la fenêtre « En revenant de la revue », que l'hiver recevait jusqu'au soir la visite inopinée et radieuse d'une journée de printemps. Pendant que nous déjeunions, en ouvrant sa croisée, la dame d'en face avait fait décamper en un clin d'œil, d'à côté de ma chaise – rayant d'un seul bond toute la largeur de notre salle à manger – un rayon qui y avait commencé sa sieste et était déjà revenu la continuer l'instant d'après. Au collège, à la classe d'une heure, le soleil me faisait languir d'impatience et d'ennui en laissant traîner une lueur dorée jusque sur mon pupitre, comme une invitation à la fête où je ne pourrais arriver avant trois heures, jusqu'au moment où Françoise venait me chercher à la sortie, et où nous nous acheminions vers les Champs-Élysées par les rues décorées de lumière, encombrées par la foule, et où les balcons, descellés par le soleil et vaporeux, flottaient devant les maisons comme des nuages d'or. Hélas ! aux Champs-Élysées je ne trouvais pas Gilberte, elle n'était pas encore arrivée. Immobile sur la pelouse nourrie par le soleil invisible qui çà et là faisait flamboyer la pointe d'un brin d'herbe, et sur laquelle les pigeons qui s'y étaient posés avaient l'air de sculptures antiques que la pioche du jardinier a ramenées à la surface d'un sol auguste, je restais les yeux fixés sur l'horizon, je m'attendais à tout moment à voir apparaître l'image de Gilberte suivant son institutrice, derrière la statue qui semblait tendre l'enfant qu'elle portait et qui ruisselait de rayons à la bénédiction du soleil [1].

---

1. Proust, *Du côté de chez Swann*, éd. Bernard Brun et Anne Herschberg Pierrot, GF-Flammarion, 2009, p. 550-552.

Se souvenir des belles choses : Colette

La prose de Colette, aux irisations autobiographiques, évoque très souvent l'enfance perdue avec mélancolie et humour. Dans *Les Vrilles de la vigne*, Colette expérimente, comme l'avait fait Nerval, la forme de la « rêverie », comme pour mieux laisser aller sa prose à la fantaisie des souvenirs. Stylistiquement, cet état indicible se manifeste par des juxtapositions qui forment le tissu de la mémoire. Comme Nerval dans le « Dernier feuillet » de *Sylvie*, Colette dresse aussi un bilan de sa vie, et inaugure un moment de réflexion sur soi qui se déploie alors dans la prose, y compris sous la forme d'un dialogue fictif où la narratrice s'adresse à un « tu » qui n'est autre qu'elle-même ; cette méditation sur le présent glisse sensiblement vers les souvenirs, la nouvelle année, les frimas de l'hiver rappelant à l'auteur les impressions de son enfance. Cette plongée soudaine rend plus nécessaire l'acceptation du présent, la conscience d'un vieillissement inéluctable. Finalement, les souvenirs d'enfance sonnent comme un *memento mori*.

> Ma solitude, cette neige de décembre, ce seuil d'une autre année ne me rendront pas le frisson d'autrefois, alors que dans la nuit longue je guettais le frémissement lointain, mêlé aux battements de mon cœur, du tambour municipal, donnant, au petit matin du 1er janvier, l'aubade au village endormi… Ce tambour dans la nuit glacée, vers six heures, je le redoutais, je l'appelais du fond de mon lit d'enfant, avec une angoisse nerveuse proche des pleurs, les mâchoires serrées, le ventre contracté… Ce tambour seul, et non les douze coups de minuit, sonnait pour moi l'ouverture éclatante de la nouvelle année, l'avènement mystérieux après quoi haletait le monde entier, suspendu au premier *rrran* du vieux tapin de mon village.

Il passait, invisible dans le matin fermé, jetant aux murs son alerte et funèbre petite aubade, et derrière lui une vie recommençait, neuve et bondissante vers douze mois nouveaux… Délivrée, je sautais de mon lit à la chandelle, je courais vers les souhaits, les baisers, les bonbons, les livres à tranches d'or… J'ouvrais la porte aux boulangers portant les cent livres de pain et jusqu'à midi, grave, pénétrée d'une importance commerciale, je tendais à tous les pauvres, les vrais et les faux, le chanteau de pain et le décime qu'ils recevaient sans humilité et sans gratitude…

Matins d'hiver, lampe rouge dans la nuit, air immobile et âpre d'avant le lever du jour, jardin deviné dans l'aube obscure, rapetissé, étouffé de neige, sapins accablés qui laissiez, d'heure en heure, glisser en avalanches le fardeau de vos bras noirs – coups d'éventail des passereaux effarés, et leurs jeux inquiets dans une poudre de cristal plus ténue, plus pailletée que la brume irisée d'un jet d'eau… Ô tous les hivers de mon enfance, une journée d'hiver vient de vous rendre à moi ! C'est mon visage d'autrefois que je cherche, dans ce miroir ovale saisi d'une main distraite, et non mon visage de femme, de femme jeune que sa jeunesse va, bientôt, quitter…

Enchantée encore de mon rêve, je m'étonne d'avoir changé, d'avoir vieilli pendant que je rêvais… D'un pinceau ému je pourrais repeindre, sur ce visage-ci, celui d'une fraîche enfant roussie de soleil, rosie de froid, des joues élastiques achevées en un menton mince, des sourcils mobiles prompts à se plisser, une bouche dont les coins rusés démentent la courte lèvre ingénue… Hélas, ce n'est qu'un instant. Le velours adorable du pastel ressuscité s'effrite et s'envole… L'eau sombre du petit miroir retient seulement mon image qui est bien pareille, toute pareille à moi, marquée de légers coups d'ongle, finement gravée aux paupières, aux coins des lèvres, entre les sourcils têtus… Une image qui ne sourit ni ne s'attriste, et qui murmure, pour moi seule : « Il faut vieillir. Ne pleure pas, ne joins pas des doigts suppliants, ne te révolte pas, il faut vieillir. Répète-toi cette parole, non comme un cri de désespoir, mais comme le rappel d'un départ nécessaire. Regarde-toi, regarde tes paupières, tes lèvres, soulève sur tes tempes les boucles de tes cheveux : déjà tu commences à t'éloigner de ta vie, ne l'oublie pas, il faut vieillir !

Éloigne-toi lentement, lentement, sans larmes ; n'oublie rien ! Emporte ta santé, ta gaîté, ta coquetterie, le peu de bonté et de justice qui t'a rendu la vie moins amère ; n'oublie pas ! Va-t'en parée, va-t'en douce, et ne t'arrête pas le long de la route irrésistible, tu l'essaierais en vain – puisqu'il faut vieillir ! Suis le chemin, et ne t'y couche que pour mourir. Et quand tu t'étendras en travers du vertigineux ruban ondulé, si tu n'as pas laissé derrière toi un à un tes cheveux en boucles, ni tes dents une à une, ni tes membres un à un usés, si la poudre éternelle n'a pas, avant ta dernière heure, sevré tes yeux de la lumière merveilleuse – si tu as, jusqu'au bout gardé dans ta main la main amie qui te guide, couche-toi en souriant, dors heureuse, dors privilégiée… [1].

Le temps réenchanté : Alain-Fournier

Entre *Sylvie* et *Le Grand Meaulnes* d'Alain-Fournier, le lien est évident et a été souligné par la critique. Les deux récits suivent en effet la même courbe déceptive, même si au royaume de l'enfance la magie des souvenirs est reine. Ainsi, « la fête étrange » à laquelle assiste Meaulnes rappelle les apparitions d'Adrienne, images fantasmées, à demi rêvées par le narrateur. La plongée dans les souvenirs et la tentative de renouer avec un passé aboli caractérisent les deux récits, si proches par leur sensibilité poétique. Les deux œuvres en effet parviennent à trouver l'équilibre entre la dynamique romanesque et la poésie ; et l'on perçoit aisément tout ce qui lie Alain-

1. Colette, « Rêverie de Nouvel An », *Les Vrilles de la vigne* [1908], © Librairie Arthème Fayard, 2004.

Fournier à Nerval : la charge symbolique que revêtent les lieux connus de l'enfance, la tentative de retrouver ce qui est irrémédiablement perdu. Dans les deux cas, l'image idéale de la rencontre se déroule dans un cadre réel (l'abbaye de Châalis, le parc du château), et la quête ne trouve de consolation que dans sa propre expression poétique.

> Meaulnes, avec précaution, allait poser d'autres questions, lorsque parut à la porte un couple charmant : une enfant de seize ans avec corsage de velours et jupe à grands volants ; un jeune personnage en habit à haut col et pantalon à élastiques. Ils traversèrent la salle, esquissant un pas de deux ; d'autres les suivirent ; puis d'autres passèrent en courant, poussant des cris, poursuivis par un grand pierrot blafard, aux manches trop longues, coiffé d'un bonnet noir et riant d'une bouche édentée. Il courait à grandes enjambées maladroites, comme si, à chaque pas, il eût dû faire un saut, et il agitait ses longues manches vides. Les jeunes filles en avaient un peu peur ; les jeunes gens lui serraient la main et il paraissait faire la joie des enfants qui le poursuivaient avec des cris perçants. Au passage il regarda Meaulnes de ses yeux vitreux, et l'écolier crut reconnaître, complètement rasé, le compagnon de M. Maloyau, le bohémien qui tout à l'heure accrochait les lanternes.
>
> Le repas était terminé. Chacun se levait.
>
> Dans les couloirs s'organisaient des rondes et des farandoles. Une musique, quelque part, jouait un pas de menuet… Meaulnes, la tête à demi cachée dans le collet de son manteau, comme dans une fraise, se sentait un autre personnage. Lui aussi, gagné par le plaisir, se mit à poursuivre le grand pierrot à travers les couloirs du Domaine, comme dans les coulisses d'un théâtre où la pantomime, de la scène, se fût partout répandue. Il se trouva ainsi mêlé jusqu'à la fin de la nuit à une foule joyeuse aux costumes extravagants. Parfois il ouvrait une porte, et se trouvait dans une chambre où l'on montrait la lanterne magique. Des enfants applaudissaient à

grand bruit... Parfois, dans un coin de salon où l'on dansait, il engageait conversation avec quelque dandy et se renseignait hâtivement sur les costumes que l'on porterait les jours suivants...

Un peu angoissé à la longue par tout ce plaisir qui s'offrait à lui, craignant à chaque instant que son manteau entrouvert ne laissât voir sa blouse de collégien, il alla se réfugier un instant dans la partie la plus paisible et la plus obscure de la demeure. On n'y entendait que le bruit étouffé d'un piano.

Il entra dans une pièce silencieuse qui était une salle à manger éclairée par une lampe à suspension. Là aussi c'était fête, mais fête pour les petits enfants.

Les uns, assis sur des poufs, feuilletaient des albums ouverts sur leurs genoux ; d'autres étaient accroupis par terre devant une chaise et, gravement, ils faisaient sur le siège un étalage d'images ; d'autres, auprès du feu, ne disaient rien, ne faisaient rien, mais ils écoutaient au loin, dans l'immense demeure, la rumeur de la fête.

Une porte de cette salle à manger était grande ouverte. On entendait dans la pièce attenante jouer du piano. Meaulnes avança curieusement la tête. C'était une sorte de petit salon-parloir ; une femme ou une jeune fille, un grand manteau marron jeté sur ses épaules, tournait le dos, jouant très doucement des airs de rondes ou de chansonnettes. Sur le divan, tout à côté, six ou sept petits garçons et petites filles rangés comme sur une image, sages comme le sont les enfants lorsqu'il se fait tard, écoutaient. De temps en temps seulement, l'un d'eux, arc-bouté sur les poignets, se soulevait, glissait à terre et passait dans la salle à manger : un de ceux qui avaient fini de regarder les images venait prendre sa place.

Après cette fête où tout était charmant, mais fiévreux et fou, où lui-même avait si follement poursuivi le grand pierrot, Meaulnes se trouvait là plongé dans le bonheur le plus calme du monde.

Sans bruit, tandis que la jeune fille continuait à jouer, il retourna s'asseoir dans la salle à manger, et, ouvrant un des gros livres rouges épars sur la table, il commença distraitement à lire.

Presque aussitôt un des petits qui étaient par terre s'approcha, se pendit à son bras et grimpa sur son genou pour regarder en même temps que lui ; un autre en fit autant de l'autre côté. Alors ce fut un rêve comme son rêve de jadis. Il put imaginer longuement qu'il était dans sa propre maison, marié, un beau soir, et que cet être charmant et inconnu qui jouait du piano, près de lui, c'était sa femme... [1].

Des souvenirs qui chantent : Barbara

Le très vif intérêt de Nerval pour la chanson s'explique en partie par la qualité intrinsèque de cet art qui peut transmettre « une parole » d'une génération à l'autre. Lieu de mémoire, lieu idéal d'expression des sentiments, la chanson appartient à un patrimoine collectif que chacun peut faire sien, tel le narrateur de *Sylvie* qui cherche dans l'épanchement naïf des chansons anciennes une réponse au temps qui passe. Chacun peut y voir la projection de ses propres inquiétudes sur le temps, dans la mesure où la chanson s'adresse à tous et fait de l'expérience singulière une vérité universelle. De nombreuses chansons traitent du motif du temps vécu, de la nostalgie qui souvent accompagne sa conscience, ou tout simplement du passé, de l'enfance. Barbara (1930-1997), considérée avec Ferré, Brel et Brassens, comme l'un des grands noms de la chanson française, s'est illustrée en composant des chansons étranges et poignantes, comme « Mon enfance », dont on pressent la dimension autobiographique sans que Barbara donne la clé de ses souvenirs : les fleurs, les prénoms, la maison, les impressions fugitives sont là, qui appellent la douloureuse violence de la mémoire enfouie et ressurgie.

---

1. Alain-Fournier, *Le Grand Meaulnes*, Ire partie, chap. XIV, éd. Tiphaine Samoyault, GF-Flammarion, 2009, p. 67-69.

J'ai eu tort, je suis revenue,/ Dans cette ville, au loin, perdue,/ Où j'avais passé mon enfance,/ J'ai eu tort, j'ai voulu revoir,/ Le coteau où glisse le soir,/ Bleu et gris, ombre de silence,/ Et j'ai retrouvé, comme avant,/ Longtemps après,/ Le coteau, l'arbre se dressant,/ Comme au passé,/ J'ai marché, les tempes brûlantes,/ Croyant étouffer sous mes pas/ Les voix du passé qui nous hantent/ Et reviennent sonner le glas,/ Et je me suis couchée sous l'arbre,/ Et c'étaient les mêmes odeurs,/ Et j'ai laissé couler mes pleurs,/ Mes pleurs [1].

---

1. Barbara, « Mon enfance », 1968, Warner Chappell Music France.

CHRONOLOGIE

1808 : *22 mai.* Naissance à Paris, 96 (aujourd'hui 168), rue Saint-Martin, de Gérard Labrunie, fils d'Étienne Labrunie, médecin militaire, et de Marie-Antoinette Marguerite Laurent, dont les parents sont lingers rue Coquillière.
23 mai. Baptême à Saint-Merri ; l'enfant est mis en nourrice peu après, à Loisy, près de Mortefontaine.
Juin. Nomination du Dr Labrunie comme médecin de la Grande Armée. Sa femme le suivra en Autriche et en Allemagne les mois suivants.

1810 : *29 novembre.* Mort de Mme Labrunie à Gross-Glogau en Silésie, où elle est enterrée. Gérard est élevé chez son grand-oncle maternel Antoine Boucher, à Mortefontaine.

1811 : *30 août.* Naissance de Théophile Gautier, à Tarbes.

1814 : *Printemps.* Retour du Dr Labrunie. Il s'installe avec son fils, 72, rue Saint-Martin.

1820 : *30 mai.* Mort d'Antoine Boucher.

1822-1826 : Études au collège Charlemagne, avec Théophile Gautier. Publication des premiers vers en 1826-1827.

1827 : Traduction de *Faust* qui paraît en novembre.
Octobre. « Préface » de *Cromwell*, de Victor Hugo.

1828 : *Août.* Mort de la grand-mère maternelle.
Musset publie sa première œuvre, *Le Mangeur d'opium*, traduction libre de Thomas de Quincey.

1829 : *10 août.* Baccalauréat.
Début de la collaboration au *Mercure de France.*

1830 : *Février.* Traduction de *Poésies allemandes.*

25 février. Bataille d'*Hernani*, Gérard et Gautier sont dans les troupes hugoliennes.
14 août. « Le Peuple », poème à la gloire des insurgés de juillet.
Octobre. Choix des poésies de Ronsard.

1831 : *Novembre ?* Séjour à la prison Sainte-Pélagie.
Fin de l'année. Sept « Odelettes » de « Gérard » dans l'*Almanach des Muses.*

1832 : *Février.* Nouvel emprisonnement après le complot de la rue des Prouvaires.
Avril. Gérard aide son père lors de l'épidémie de choléra.
Juin. Insurrections et barricades dans Paris.
Septembre. La Main de gloire.
Toute cette année, Gérard fréquente le Petit Cénacle de Jehan Duseigneur (Célestin Nanteuil, Pétrus Borel, les Jeunes-France).

1834 : *Janvier.* Mort du grand-père Laurent. Gérard hérite d'environ 30 000 francs (environ 120 000 euros actuels).
Septembre-octobre. Voyage dans le midi de la France et en Italie (Florence, Rome, Naples) ; retour par Nîmes et Agen.

1835 : *Mai.* Fondation du luxueux *Monde dramatique.*
La Bohème galante, impasse du Doyenné (Gautier, Houssaye, Rogier, Ourliac…).
Décembre. Seconde édition de *Faust.*

1836 : *Avril.* Vente du *Monde dramatique* qui a englouti le reste de l'héritage. Endettement. Débuts dans le journalisme.
Juillet-septembre. Voyage en Belgique avec Gautier.

1837 : *31 octobre.* Première de *Piquillo*, livret avec Dumas, musique de Monpou, où chante Jenny Colon.

1838 : *11 avril.* Jenny Colon épouse le flûtiste Leplus.
Août-septembre. Voyage en Allemagne avec Dumas pour préparer *Léo Burckart.*

1839 : *10 avril.* Première de *L'Alchimiste*, avec Dumas.
16 avril. Première de *Léo Burckart*, avec Dumas.
25-28 juin. « Le Fort de Bitche » dans *Le Messager.*

15-17 août. « Les Deux Rendez-vous » dans *La Presse.*
Fin octobre. Départ pour Vienne. Nerval y fréquente l'ambassade de France, il y rencontre Marie Pleyel.

1840 : *Mars.* Retour à Paris.
Mai. En l'absence de Gautier, Nerval le remplace à *La Presse* (jusqu'en octobre). Vingt-six feuilletons de critique dramatique.
Juillet. Troisième édition de *Faust*, enrichie d'une préface nouvelle.
Octobre. Départ pour la Belgique.
15 décembre. Représentation de *Piquillo* à Bruxelles, rencontre de Jenny Colon et de Marie Pleyel.

1841 : *21 (?) février.* Première crise, Nerval est interné rue de Picpus chez Mme Sainte-Colombe.
1er mars. Feuilleton de Jules Janin dans le *Journal des débats.* Il y annonce la « mort » de Nerval.
16 mars. Nerval sort de la clinique.
21 mars. Il est interné à Montmartre chez le Dr Esprit Blanche jusqu'en novembre.

1842 : *5 avril.* Mariage d'Arsène Houssaye. Nerval restera très attaché au couple, et notamment à Mme Houssaye.
5 juin. Mort de Jenny Colon.
10 juillet. « Les Vieilles Ballades françaises » dans *La Sylphide.*
22 décembre. Départ pour l'Orient.
24 décembre. Un roman à faire, roman épistolaire inachevé composé de lettres (fictives ?) adressées à Jenny Colon, dans *La Sylphide.*

1843 : *Février-avril.* Le Caire.
19 et 26 mars. « Jemmy O'Dougherty » dans *La Sylphide.*
Mai-juin. Le Liban, Nerval y est malade.
Juillet-octobre. Constantinople.
Fin novembre. Naples.
Décembre. Retour en France, Nerval est à Nîmes pour Noël.

1844 : *10 mars.* « Le Roman tragique » dans *L'Artiste.*
31 mars. « Le Christ aux oliviers » dans *L'Artiste.*

Septembre-octobre. Voyage avec Houssaye : Belgique, Hollande.

1845 : *16 mars.* « Pensée antique » (= « Vers dorés ») dans *L'Artiste.*
Novembre-décembre. « Le Temple d'Isis » dans *La Phalange.*
28 décembre. « Vers dorés » (= « Delfica ») dans *L'Artiste.*

1845-1846 : Activité journalistique. Un ou deux brefs voyages à Londres.

1846-1847 : Publication des premières versions de ce qui sera le *Voyage en Orient.*

1848 : Traductions de Heine (*Revue des Deux Mondes,* 15 août et 15 septembre).

1849 : *1er mars.* Début du *Marquis de Fayolle,* dans *Le Temps.*
31 mars. Première des *Monténégrins,* musique de Limnander.
Fin mai. Bref séjour à Londres.

1850 : *13 mai.* Première du *Chariot d'enfant,* pièce indienne, adaptée avec Méry. Demi-échec.
Voyages dans le Valois toute cette année.
Août. Première partie des *Confidences de Nicolas* dans la *Revue des Deux Mondes.*
21 août. Obsèques de Balzac, mort le 18. Nerval quitte presque aussitôt la France pour Bruxelles.
Août-septembre. Voyage en Allemagne et en Belgique.
1er-15 septembre. Suite et fin des *Confidences de Nicolas* dans la *Revue des Deux Mondes.*
Octobre-décembre. Publication, dans *Le National,* des *Faux Saulniers,* première œuvre « valoisienne ».
Novembre. Nerval séjourne peut-être dans les environs de Compiègne.

1851 : *Janvier.* Contrat avec l'éditeur Charpentier pour le *Voyage en Orient.*
Mai. Publication du *Voyage en Orient.*
27 septembre. Article élogieux d'Edmond Texier sur le *Voyage en Orient* dans *L'Illustration.*
2 décembre. Coup d'État du prince-président, Louis-Napoléon Bonaparte, neveu de Napoléon Ier.

11 décembre. Hugo quitte Paris pour Bruxelles. Début de l'exil.

27 décembre. Première de *L'Imagier de Harlem*, avec Méry. Avis critiques partagés. Jules Janin défavorable dans le *Journal des débats.*

1852 : *Janvier.* La pièce n'a pas le succès escompté, Nerval est malade.

23 janvier. Il est conduit à la maison Dubois ; il en sort le 15 février.

Mars, avril, mai. Le Pays fait la publicité des œuvres qu'il va publier. Parmi elles, « L'AMOUR QUI PASSE/ Une série de scènes de la vie privée/ par M. Gérard de Nerval ». Il s'agit peut-être du premier projet de *Sylvie*, ce que confirme la correspondance d'Anténor Joly.

Mai. Voyage en Hollande et en Belgique. Publication des *Illuminés.*

24 mai. Compte rendu des *Illuminés* par Gautier dans *La Presse.*

Juin. Publication de *Lorely.*

1er juillet. Début de la publication de *La Bohême galante* dans *L'Artiste* (jusqu'au 15 décembre).

Août. Excursions dans le Valois.

Octobre-novembre. Les Nuits d'octobre dans *L'Illustration.*

Décembre. Publication de *Contes et facéties* et de *Petits Châteaux de Bohême.*

2 décembre. Louis-Napoléon Bonaparte devient Napoléon III, empereur.

1853 : *6 février.* Nouvel internement à la maison Dubois ; Nerval en sort le 27 mars.

29 juillet. Nerval voyage à Chantilly et poursuit sans doute la rédaction de *Sylvie.*

15 août. Sylvie dans la *Revue des Deux Mondes.*

25 août. Début de la plus grave crise : Nerval est conduit à la Charité, puis, le 27 août, à Passy chez le Dr Émile Blanche.

Fin septembre. Sortie prématurée et rechute.

Octobre. Installation à Passy avec son mobilier.

Novembre. Rédaction à Passy de manuscrits à l'encre rouge (« La Pandora », « El Desdichado », « Artémis »).
Décembre. Rédaction de premiers fragments d'*Aurélia.*
10 décembre. Article ambigu de Dumas dans *Le Mousquetaire*, avec le texte de « El Desdichado ».
17 décembre. « Octavie » dans *Le Mousquetaire.*

1854 : *Janvier.* Publication des *Filles du Feu* suivies des *Chimères.*
27 février. Long article de Théophile Gautier sur son ami Nerval dans *Le Moniteur universel.*
27 mai. Sortie de la clinique du Dr Blanche.
Juin-juillet. Voyage en Allemagne.
Début août. Nerval entre de nouveau chez le Dr Blanche.
19 octobre. À la suite d'une malencontreuse intervention de la Société des gens de lettres, Gérard sort de la clinique, contre l'avis du Dr Blanche.
31 octobre. Publication de *Pandora*, tronquée, dans *Le Mousquetaire.*
12 décembre. Mort de Mme Houssaye, Gérard assiste aux obsèques le 14.
30 décembre. Début de la publication de *Promenades et souvenirs* dans *L'Illustration.*

1855 : *1er janvier.* Première moitié d'*Aurélia* dans la *Revue de Paris.*
6 janvier. Suite de *Promenades et souvenirs.*
26 janvier. À l'aube, Nerval est trouvé pendu rue de la Vieille-Lanterne (emplacement du théâtre de la Ville).
30 janvier. Après intervention du Dr Blanche auprès de l'archevêque de Paris, les obsèques se déroulent à Notre-Dame de Paris ; Nerval est enterré au Père-Lachaise aux frais de la Société des gens de lettres, sa famille ayant refusé de s'en occuper.
6 février. Dernière publication de *Promenades et souvenirs.*
15 février. « Seconde partie » d'*Aurélia* dans la *Revue de Paris.*

BIBLIOGRAPHIE SÉLECTIVE

Les éditions de *Sylvie* sont nombreuses, qu'elles soient séparées ou rattachées aux *Filles du Feu*, ou encore associées à une autre œuvre de Nerval. Nous citons ici les éditions reconnues pour leur qualité scientifique. Quant à la bibliographie nervalienne, elle est très vaste. La Toile offre plusieurs liens permettant de circuler dans cette bibliographie ; le Centre de recherches Gérard de Nerval de l'université de Namur, notamment, présente un certain nombre de liens utiles :
http://www.gerarddenerval.be

ÉDITIONS

Œuvres complètes, dir. Jean Guillaume et Claude Pichois, Gallimard, « Bibliothèque de la Pléiade », 3 tomes : t. I, 1989 ; t. II, 1984 ; t. III (comprenant *Sylvie*), 1993.

Œuvres complètes, dir. Henri Lemaître, Bordas « Garnier Classiques », 1986 [1re éd. 1964].

Sylvie. Aurélia, éd. Raymond Jean, José Corti, « Collection Romantique », 1964.

Sylvie, éd. Pierre-Georges Castex, SEDES, 1970.

Les Filles du Feu, éd. Béatrice Didier, Gallimard, « Folio », 1976.

Les Filles du Feu, éd. Gabrielle Chamarat-Malandain, Le Livre de Poche, 1985.

Les Filles du Feu, éd. Jacques Bony, GF-Flammarion, 1994.

Les Filles du Feu, éd. Michel Brix, Le Livre de Poche, 1999.
Les Filles du Feu, éd. Bertrand Marchal, Gallimard, « Folio », 2005.

Biographies

Joseph-Marc Bailbé, *Gérard de Nerval*, Bordas, 1976.
Gérard Cogez, *Gérard de Nerval*, Gallimard, « Folio biographies », 2010.
Raymond Jean, *Nerval par lui-même*, Seuil, « Écrivains de toujours », 1964.
Gérard Macé, *Je suis l'autre*, Gallimard, « Le Promeneur », 2007.
Claude Pichois et Michel Brix, *Gérard de Nerval*, Fayard, 1995.
Jean Richer, *Nerval*, Seghers, 1962 [4e éd.].

Études générales

Quinze Études sur Nerval et le romantisme en hommage à Jacques Bony, textes réunis par Hisashi Mizuno et Jérôme Thélot, Kimé, 2005.
Corinne Bayle, *Gérard de Nerval : la marche à l'étoile*, Seyssel, Champ Vallon, 2001.
Corinne Bayle, *Gérard de Nerval. L'inconsolé*, Éditions Aden, « Le cercle des poètes disparus », 2008.
Albert Béguin, *Gérard de Nerval*, José Corti, 1945.
Paul Bénichou, *Nerval et la chanson folklorique*, José Corti, 1970.
Jacques Bony, *Le Récit nervalien*, José Corti, 1990.
Jacques Bony, *L'Esthétique de Nerval*, SEDES, « Esthétique », 1997.
Jacques Bony, *Aspects de Nerval. Histoire, esthétique, fantaisie*, Eurédit, 2006.

Jacques Bony, Gabrielle Chamarat-Malandain et Hisashi Mizuno (dirs), *Gérard de Nerval et l'esthétique de la modernité*, actes du colloque de Cerisy de 2008, Hermann, 2010.

Frank Paul Bowman, *Gérard de Nerval. La conquête de soi par l'écriture*, Orléans, Éditions Paradigme, 1997.

Michel Brix, *Nerval journaliste (1826-1851)*, Presses universitaires de Namur, « Études nervaliennes et romantiques », VIII, 1986.

Michel Brix, *Les Déesses absentes. Vérités et simulacres dans l'œuvre de Gérard de Nerval*, Klincksieck, « Bibliothèque du XIXe siècle », 1997.

Gabrielle Chamarat-Malandain, *Nerval ou l'Incendie du théâtre. Identité et littérature dans l'œuvre en prose de Gérard de Nerval*, José Corti, 1986.

Gabrielle Chamarat-Malandain, *Nerval, réalisme et invention*, Orléans, Éditions Paradigme, 1997.

Ross Chambers, *Gérard de Nerval et la poétique du voyage*, José Corti, 1969.

Michel Collot, *Gérard de Nerval ou la Dévotion à l'imaginaire*, PUF, 1992.

Jean Gaulmier, *Gérard de Nerval et « Les Filles du Feu »*, Nizet, 1956.

Jean Guillaume, *Nerval. Masques et visage*, Presses universitaires de Namur, « Études nervaliennes et romantiques », IX, 1988.

Jean Guillaume et Claude Pichois, *Gérard de Nerval : chronologie de sa vie et de son œuvre, août 1850-juin 1852*, Presses universitaires de Namur, « Études nervaliennes et romantiques », VI, 1984.

André Guyaux *et alii* (dir.), *Gérard de Nerval*, PUPS, « Mémoire de la critique », 1995.

Jean-Nicolas Illouz, *Nerval, le « rêveur en prose ». Imaginaire et écriture*, PUF, 1997.

Jean-Nicolas Illouz (dir.), *Nerval*, *Littérature*, n° 158, juin 2010.

Michel Jeanneret, *La Lettre perdue. Écriture et folie dans l'œuvre de Nerval*, Flammarion, 1978.

Claude Pichois et Michel Brix (dirs), *Dictionnaire Nerval*, Tusson, Du Lérot, 2006.

Georges Poulet, *Trois Essais de mythologie romantique*, José Corti, 1971.
Jean Richer (dir.), *Gérard de Nerval, Cahiers de l'Herne*, n° 37, 1980.
Jean Richer, *Gérard de Nerval, expérience vécue et création ésotérique*, Guy Trédaniel, 1987.
Société des études romantiques, *Le Rêve et la vie. Aurélia, Sylvie, Les Chimères*, SEDES, 1986 [plusieurs articles consacrés à *Sylvie*].
Monique Streiff-Moretti, *Le Rousseau de Gérard de Nerval*, Nizet, 1976.
Bruno Trismans, *Textualités de l'instable. L'écriture du Valois de Nerval*, Berne, Peter Lang, 1989.

ÉTUDES CONSACRÉES À *SYLVIE*

Pascale Auraix-Jonchère, « Géopoésie de la sylve nervalienne », *Paysages romantiques*, Gérard Peylet (dir.), *Eidôlon*, n° 54, 2000.
Guy Barthèlemy, « Rhétorique de la perte », *Les Couleurs du XIXe siècle, Romantisme*, n° 157, 2012, p. 89-99.
Corinne Bayle, « *La Mort couronnée de roses pâles* : Nerval et les fleurs ou l'espérance d'une résurrection », *Nerval et la mort*, Jacques Bony (dir.), *Plaisance*, août 2006, p. 116-127.
Corinne Bayle, « Une lettre de Nerval à Maurice Sand (5 novembre 1853) : *Sylvie* sous le regard critique d'un "poète toujours lucide" », in Pascale Auraix-Jonchière, Christian Croisille et Éric Francalanza (dirs), *La Lettre et l'œuvre*, Presses universitaires de Clermont-Ferrand, 2009, p. 179-190.
Michel Brix, « Note sur "[Paris-Mortefontaine]", fragment manuscrit de Nerval », *Romanische Forschungen*, III. Band, Heft 2, 1999, p. 230-234.
Michel Brix, « Nerval. L'autobiographie et la problématique du réalisme », in Bertrand Degott et Marie Miguet-Ollagnier (dirs), *Écritures de soi : secrets et réticences*, L'Harmattan, 2002, p. 29-47.

Michel Brix, « Le Valois nervalien ou la tentation orientale », in Alain Guyot et Chantal Massol (dirs), *Voyager en France au temps du romantisme. Poétique, esthétique, idéologie*, Grenoble, ELLUG, 2003, p. 309-321.

Michel Brix, « Parcours du temps retrouvé, de Rousseau à Nerval et Proust », in Christian Chelebourg (dir.), *Écritures XIX-2. Images du temps, pensée de l'histoire*, Paris-Caen, Minard, « Lettres modernes », 2005, p. 115-132.

Léon Cellier, *De « Sylvie » à « Aurélia », structure close et structure ouverte*, Minard, 1971.

Gabrielle Chamarat-Malandain, « Sylvie, "dernier feuillet" », in *Nerval, réalisme et invention*, Orléans, Éditions Paradigme, 1997, p. 79-89.

Ross Chambers, « Les paysages dans Sylvie », *Nineteenth Century French Studies*, automne-hiver 1977-1978, p. 55-71.

Ross Chambers, « La narration dans *Sylvie* », *Poétique*, février 1980, p. 22-38.

François Constans, « Sur la pelouse de Mortefontaine », *Cahiers du Sud*, n° 292, 1948, p. 397-412.

Philippe Destruel, *Les Filles du Feu de Gérard de Nerval*, Gallimard, « Foliothèque », 2005.

Jacques Dürrenmatt, « *Sylvie* : une écriture de la suspension », in François-Charles Gaudard (dir.), *Les Filles du Feu. Les Chimères. Aurélia, Gérard de Nerval*, Ellipses, « CAPES/Agrégation. Lettres », 1997, p. 58-66.

Uri Eisenzweig, *L'Espace imaginaire d'un récit : « Sylvie » de Gérard de Nerval*, Genève, La Baconnière, 1976.

Alain Guyot, « Prestiges de *Sylvie* », in *Promenades et souvenirs. Pour Gabrielle Chamarat*, Guy Barthèlemy et Jean-Louis Cobanès (dirs), Université de Paris-Ouest, coll. « Littérales », 2009, p. 239-250.

Jean-Nicolas Illouz, « Nerval, "sentimental" et "naïf" : l'idylle, l'élégie et la satire dans *Sylvie* », Europe, n° 935, mars 2007, p. 122-141.

Georges Poulet, « *Sylvie*, ou la pensée de Nerval », in *Trois Essais de mythologie romantique*, José Corti, 1971, p. 11-66.

Bruno Trismans, « Système et jeu dans *Sylvie* », *Poétique*, n° 65, 1986, p. 77-89.

Bruno Trismans, « D'une poétique rhapsodique. De *Chansons et légendes du Valois* à *Sylvie* », in José-Luis Diaz (dir.), *Soleil noir*, SEDES, 1997, p. 31-41.

TABLE

Sylvie

DOSSIER

CHRONOLOGIE

BIBLIOGRAPHIE SÉLECTIVE

Mise en page par Meta-systems
59100 Roubaix

N° d'édition : L.01EHPN000552.C003
Dépôt légal : juin 2013
Imprimé en Espagne par Novoprint (Barcelone)